CHRYSTINE BROUILLET

D1168003

Soins intensifs

la courte échelle

Les éditions de la courte échelle inc.
5243, boul. Saint-Laurent
Montréal (Québec) H2T 1S4

Directrice de collection:
Annie Langlois

Révision:
Lise Duquette

Conception graphique de la couverture:
Elastik

Dépôt légal, 1er trimestre 2006
Bibliothèque nationale du Québec

La courte échelle reconnaît l'aide financière du gouvernement du Canada
par l'entremise du Programme d'aide au développement de l'industrie de
l'édition pour ses activités d'édition. La courte échelle est aussi inscrite au
programme de subvention globale du Conseil des Arts du Canada et reçoit
l'appui du gouvernement du Québec par l'intermédiaire de la SODEC.

La courte échelle bénéficie également du Programme de crédit d'impôt pour
l'édition de livres — Gestion SODEC — du Gouvernement du Québec.

Catalogage avant publication de Bibliothèque et Archives Canada

Brouillet, Chrystine

    Soins intensifs

    3e éd.

    (Livre de poche; 4)
    Publ. à l'origine dans la coll.: Roman 16/96. c2000.

    ISBN 2-89021-857-0

    I. Titre.

PS8553.R684S64 2006   C843'.54   C2005-942323-4
PS9553.R684S64 2006

Imprimé au Canada

À Marquis Fortin

L'auteure tient à remercier Sylvie Berger, Carole Bourassa, Jacques Carreau, Louise Champagne, Louis-André Chartrand, Louis Gagnon, Marie-Andrée Gignac, Jean Labbé, Robert Lahaye, Gilles Langlois, Danièle Lemieux, Suzanne Martel, Normand Nadeau, Nicole Plante, Robert Thivierge et Danielle Villeneuve, ainsi que le personnel des hôpitaux qu'elle a visités.

Chapitre 1

Il faisait presque nuit quand Maxime avait quitté son ami Jérôme. Le crépuscule teintait les rues du quartier Saint-Roch d'une nuance bleutée, soyeuse, masquant le sable et le sel qui salissaient trop vite la neige. Celle-ci avait à peine le temps de toucher le sol que des camions s'affairaient à la faire disparaître. Il y avait heureusement quelques endroits oubliés par les véhicules où Maxime et ses copains pouvaient faire des boules de neige et les lancer au clan adverse. Ils s'étaient bien battus ! Ils auraient gagné s'ils n'avaient dû interrompre la partie. Jérôme avait dit qu'il commençait à faire noir et chacun l'avait constaté avec déplaisir. Ils devaient rentrer chez eux avant que la nuit soit tombée, sinon…

Maxime avait pourtant traîné sur le chemin du retour, s'amusant à dessiner des étoiles dans les bancs de neige encore intacts. Dans un petit parc, il s'était couché pour faire l'ange comme le lui avait montré sa mère quand il était petit. Il s'était relevé, nostalgique ; sept années, non huit, s'étaient-elles déjà écoulées ?

Il pensait toujours à Gisèle en grimpant l'escalier qui menait à l'appartement récemment loué par son père.

Il entendit alors des cris de colère. Il reconnut la voix de son père. Avec qui discutait-il ainsi ? Il tendit l'oreille ; il n'avait rien à se reprocher, mais il fut rassuré d'apprendre qu'il n'était pas au cœur de la dispute. Il ne réussissait pas à identifier la voix des visiteurs. Qui étaient-ils ? Que faisaient-ils dans leur nouveau logis ?

Maxime préférait l'ancien appartement, mais comme ils ne resteraient peut-être pas longtemps rue Mgr-Gauvreau, il n'avait fait aucun commentaire quand ils avaient emménagé dans cet immeuble de dix logements. Avec un peu de chance, il y aurait peut-être des garçons de son âge. Au moins, il n'avait pas changé d'école cette année et il avait pu conserver son travail de camelot.

Un des hommes cria à Bruno Desrosiers d'avouer qu'il avait vendu Lapierre.

La pierre ? Quelle pierre ? Il avait sûrement mal entendu.

Bien que le ton de l'homme soit très menaçant, Maxime était intrigué et voulait savoir ce qu'avait pu vendre son père. S'il s'agissait vraiment d'une pierre, elle devait être minuscule, car il ne l'avait jamais vue. Bruno ne possédait rien, hormis une guitare et une chaîne stéréo. Et le saxophone qu'il lui avait offert à son anniversaire. Et une télévision, un magnétoscope, leurs vêtements. Pas de frigidaire, pas de poêle. C'est pour cette raison qu'ils déménageaient si facilement. Et si c'était un diamant ? Pourquoi l'aurait-il eu en sa possession ? L'enfant redoutait d'apprendre que son père était mêlé à un trafic quelconque, mais il avançait néanmoins vers la porte de l'appartement, le cœur battant, dominé par la curiosité. Un pas, deux, trois. Il posait sa main sur la poignée et ouvrait la porte doucement.

Il n'y eut qu'un millième de seconde entre le moment où Maxime entra dans la pièce et le premier coup de feu.

Et pas beaucoup plus de temps entre le second et le troisième.

Maxime vit son père rebondir, se frapper violemment la tête contre le mur du salon, s'affaler sur le vieux sofa et le tacher d'un rouge vif. Il voulut courir vers lui pour l'aider, mais des serres d'acier broyèrent son épaule, la brûlèrent et freinèrent son élan.

— Es-tu fou ? cria un des hommes. Tirer sur un petit gars !

— J'l'ai pas bien vu ! Tant pis, il ne *stoolera* pas comme son père. Envoye, décrisse ! Par en arrière !

Ils disparurent sans jeter un regard à leurs victimes. Maxime crut un instant qu'il faisait un cauchemar et que sa mère serait au pied de son lit quand il s'éveillerait. Elle lui sourirait et lui épongerait gentiment le front.

Non. Ça n'arriverait pas. Gisèle avait quitté Bruno. Elle vivait maintenant en Ontario et il ne la voyait que deux fois par année.

Maxime se précipita vers son père. Ses yeux étaient clos, son teint livide, et une écume rosâtre ourlait ses lèvres. Maxime secoua la tête. Non, non, son père n'allait pas mourir, non! C'était toujours grave, dans les films, quand ils bavaient du sang.

— J'appelle le 911, papa. Ils vont venir te soigner.

Un voisin avait déjà composé ce numéro en entendant les coups de feu, mais il n'avait pas poussé la notion d'entraide jusqu'à descendre chez les Desrosiers.

Le premier patrouilleur à se présenter sur les lieux du crime conclut à un règlement de compte, mais il garda ses déductions pour lui et suggéra à son collègue de prévenir Maud Graham. Il avait déjà vu Bruno Desrosiers avec elle à la centrale du poste Victoria.

— Ça ne coûte rien de l'appeler. Elle aura peut-être une idée sur ce qui s'est passé. Elle ira le voir à l'hôpital.

— Et le garçon?

— Justement, Graham doit être bonne avec les enfants.

Maxime écoutait ces propos sans comprendre. Il ne quittait pas son père des yeux, surveillant les soins que lui prodiguaient les ambulanciers, indifférent à sa propre douleur, se laissant bander et immobiliser sans réagir.

Quand un des policiers se pencha vers lui pour recueillir son témoignage, Maxime hésita, puis décida de se taire. Il n'allait pas raconter ce qu'il avait vu sans en avoir auparavant discuté avec son père. Est-ce qu'un des bandits n'avait pas dit *stoolé*?

Maxime détestait ce mot. Il devinait tout ce qu'il impliquait.

Il prétendit ne se souvenir de rien. Il avait mal à l'épaule. Il fallait sauver son père.

À l'hôpital, il raconta la même version à Maud Graham.

Elle était arrivée à l'Hôtel-Dieu quelques minutes après qu'on eut donné les premiers soins aux blessés. L'état stuporeux de Bruno Desrosiers inquiétait l'urgentologue, comme sa blessure à la tête. Mais il examinerait en priorité les plaies causées par les deux balles. Quels dégâts constaterait-il? L'une d'elles était entrée très près du cœur, l'autre au beau milieu du ventre. Un lavage péritonéal révélerait du sang dans la cavité abdominale.

Bien qu'on ait tendu un rideau afin d'isoler Bruno Desrosiers des autres patients, son fils devinait la tension derrière le drap tiré, et il ne cessait de poser des questions au médecin et à l'infirmière qui soignaient son épaule. On avait fait une piqûre à Maxime sans qu'il bronche, mais il avait protesté quand on avait déchiré sa chemise pour la lui enlever sans remuer son bras. Déjà que son manteau était fichu...

— C'était ma préférée.

Une infirmière lui caressa les cheveux en lui disant que sa mère lui en apporterait une toute propre. Maxime baissa la tête et la jeune femme rougit, devinant sa bévue. L'irruption de Maud Graham dans la salle des urgences fut opportune.

— Qu'est-ce qui s'est passé?

— On ne sait pas, répondit le patrouilleur. Desrosiers est inconscient. Il a reçu deux balles. Et son petit bonhomme ne se souvient de rien. Il doit être traumatisé.

Graham remarqua alors la présence de Maxime sur une civière. Comme il était roux! Autant qu'elle. Son enfance lui revint en mémoire, les moqueries des élèves à chaque début d'année scolaire. On devait aussi surnommer «Carotte» le gamin auprès duquel s'affairaient un médecin et une infirmière. Elle ravala une exclamation quand elle vit qu'il avait été touché: qui avait pu tirer sur un enfant? Elle savait que Bruno Desrosiers avait un fils, mais elle ignorait son âge et s'étonnait qu'il soit si grand.

Où était la mère? Comment se partageaient-ils la garde? Elle espéra que Bruno Desrosiers n'ait pas trop souvent la charge du petit; son style de vie n'était pas spécialement recommandable...

Elle s'approcha de Maxime, blême, qui guettait toujours le moindre mouvement derrière le rideau, qui redoutait que l'urgentologue vienne vers lui pour lui annoncer qu'il avait fait tout ce qui était en son pouvoir, mais...

— Maxime, murmura une infirmière, voici Maud Graham. Elle est détective.

L'enfant tourna lentement la tête. Détective ? Il la dévisagea sans pouvoir déterminer si elle correspondait à l'image qu'il s'était faite d'un enquêteur.

— Bonjour, Maxime, fit Graham en se penchant vers lui. Tu as très mal ?

Maxime haussa machinalement les épaules et grimaça.

— Ça brûle.

— Tu peux répondre à mes questions ?

— Je ne me souviens de rien, dit trop vite Maxime.

Pourquoi mentait-il ? se demanda Graham. L'effrayait-elle ? Protégeait-il quelqu'un ? Le patrouilleur avait recueilli le témoignage d'un voisin qui avait entendu des voix d'hommes. Sans rien voir, toutefois. Un ami de son père ? Un oncle ? Ou un inconnu qui l'aurait menacé ? De lui tirer dessus de nouveau ? C'était exagéré. Quelles raisons forçaient Maxime à garder le silence ?

— Je voudrais bien savoir qui vous a agressés, Bruno et toi, soupira Graham. Voici ma carte. Si la mémoire te revient… Je tiens à arrêter le coupable.

L'enfant frémit, faillit interrompre la détective. Ah ! ils étaient plus d'un à commettre le crime !

— Ou les coupables ?

— Est-ce que vous connaissez mon père ?

— Oui… Tu peux me tutoyer. Tu dois avoir douze ans, non ?

Graham n'aurait pas donné plus de dix ans à Maxime, car il était chétif, mais tous les enfants aiment qu'on les croie plus vieux qu'ils ne le sont en réalité. Maxime n'échappait pas à la règle.

— Bientôt, en juillet.

Graham dissimula sa surprise. Onze ans et demi ?

— Pauvre toi, ça doit être ennuyant d'avoir son anniversaire en juillet. Il n'y a personne pour te fêter à cause des vacances.

Maxime protesta ; son père lui avait presque toujours offert un cadeau le 15 juillet.

— D'un autre côté, poursuivait Graham, c'est plaisant de fêter en été parce qu'on peut faire un pique-nique. J'adore les pique-niques. Et toi?

— J'aime mieux aller chez Mikes, répondit poliment Maxime.

Il recommençait à guetter le moindre mouvement derrière le rideau.

— Ils s'occupent bien de ton père, Maxime. Ils font tout ce qu'ils peuvent.

— Il ne va pas mourir, hein?

Pour la première fois, la voix de l'enfant se brisa dans un sanglot réprimé. Une infirmière caressa la joue de Maxime en lui expliquant qu'il allait être transporté dans un autre hôpital pour être opéré.

— Ils font tout ce qu'ils peuvent pour ton père, répéta Graham à Maxime avant d'aller rejoindre les patrouilleurs.

Peut-être trouverait-on des témoins qui leur en apprendraient davantage sur la tentative de meurtre dont avaient été victimes Maxime et Bruno Desrosiers?

Une infirmière mit gentiment Graham à la porte de l'urgence. La détective battit en retraite après avoir reçu l'assurance qu'on la préviendrait dès que Bruno Desrosiers pourrait répondre à ses questions.

— Ce ne sera pas possible avant des heures, voire des jours.

— Et Maxime?

— On l'envoie au CHUL.

Elle irait discuter avec lui là-bas… Dès le lendemain.

* * *

Le carillon de la pendule sonna quatre fois. Denise Poissant s'approcha de la fenêtre, repoussa les rideaux de dentelle et regarda la cour, les branches enneigées du sapin de Noël. Elle avait du mérite de l'avoir installé et garni d'ampoules ; personne ne pourrait lui reprocher de ne pas vouloir plaire à Kevin. Ce n'était pas parce que son mari les avait quittés qu'elle priverait son fils d'un vrai Noël. Les voisins verraient qu'elle ne ménageait pas ses efforts. Elle avait aussi décoré un sapin à l'intérieur et la maison embaumait la résine. Kevin ne semblait pas sensible au parfum, mais l'arbre, magnifique avec ses fantaisies or et argent, l'attirait. Il mirait son visage dans les boules qui paraient les branches les plus basses et battait des mains en riant.

Denise entendit son fils geindre dans sa chambre. Elle s'écarta de la fenêtre, tira les rideaux et s'assit dans un fauteuil en s'emparant de la télécommande. Elle passa d'une chaîne à l'autre avant d'arrêter son choix; on commentait, à l'aide d'images extrêmement précises, le déroulement d'une greffe de rein. Denise monta le son; peut-être que son fils aurait un jour besoin d'une telle opération… Comment savoir? Elle devrait pouvoir suivre les explications des médecins, les interroger et même leur suggérer des traitements. N'occupait-elle pas tous ses loisirs à lire des ouvrages médicaux? À visiter les sites Internet traitant de pharmacologie? Elle ne prétendait pas remplacer les spécialistes, mais elle croyait que ces hommes débordés n'avaient pas le temps de recouper autant d'informations qu'elle, de consulter autant de correspondants et d'entendre autant d'avis différents.

Après tout, ils avaient à se soucier de dizaines, de centaines de patients. Denise, elle, n'avait plus qu'à se consacrer à Kevin.

Kevin continuait à gémir dans la chambre du fond. Denise soupira, monta de nouveau le son. Les commentaires du journaliste étaient simples, et même trop simples parce qu'ils s'adressaient à un large public, mais les médecins qui pratiquaient l'intervention ponctuaient le documentaire de remarques intéressantes.

Quand les plaintes de Kevin se muèrent en hurlements, Denise se leva à regret, se dirigea vers la cuisine, ouvrit le réfrigérateur, y prit une bouteille de jus de fruits. Raisin. Kevin aimait bien le jus de raisin. Denise y versa 20 ml d'Ipéca, déposa deux biscuits aux brisures de chocolat dans une assiette et porta l'en-cas à son fils.

Kevin était assis dans son lit, la figure écarlate, barbouillée de larmes.

— Tu as vomi ?

Le petit se remit à pleurer, tandis que Denise le tirait du lit, le changeait de pyjama, l'assoyait par terre avant d'arracher les draps pour les mettre au lavage. Kevin semblait vraiment abattu. Il dédaigna les biscuits, ses préférés pourtant, mais il but quelques gorgées de jus. Il se frottait le ventre en geignant et Denise essuya ses larmes en le remettant dans son lit. Il se laissa retomber sur son oreiller en soupirant. Denise tira lentement la couverture sur son fils.

— On va patienter encore un peu avant d'aller à l'hôpital, d'accord ?

Denise éteignit la lumière de la chambre non sans avoir vérifié le bon fonctionnement de la veilleuse. Kevin crierait s'il se réveillait dans le noir.

Denise aussi avait craint le noir. Quand elle était enfant, dans le salon de la maison de Baie-Comeau, elle détestait que son père ferme complètement les rideaux. Quand elle faisait un cauchemar, elle mettait un bon moment avant de se rappeler qu'elle était couchée sur le divan-lit du salon. Elle avait eu beau insister pour partager la chambre de son frère Paul, ses parents l'avaient éloignée de la pièce en lui expliquant que son cadet avait besoin de repos et de silence. Si c'était vrai, c'est Paul qu'on aurait dû installer dans le salon, puisque cette pièce était orientée sur la cour, une cour beaucoup plus calme que la rue sur laquelle donnait la chambre. On avait balayé les objections de Denise avec impatience, en lui répétant qu'elle devait accepter la situation : son frère était très malade, il devait apprécier la vie à la maison entre deux hospitalisations.

— Tu es l'aînée, disait Mme Poissant, tu dois nous aider. C'est très difficile pour Paul d'aller sans cesse à l'hôpital…

En quoi était-ce si difficile ? Denise, qui s'était fait opérer pour les amygdales l'année précédente, gardait un excellent souvenir de son séjour dans l'établissement. On s'était occupé d'elle avec beaucoup de gentillesse, surtout l'infirmière Gaétanne qui lui nattait les cheveux. On lui avait même remis des seringues — sans aiguille — pour qu'elle puisse soigner ses poupées. Elle avait regretté de guérir si rapidement et de quitter l'hôpital où la berçait le constant va-et-vient des médecins et des infirmières, où les lumières rouges ou vertes des appareils luisaient dans la pénombre comme des rubis et des émeraudes.

Quand Paul avait été hospitalisé à son tour pour des problèmes rénaux, elle avait proposé de rester auprès de lui pour le rassurer. Sa mère l'avait félicitée de sa délicatesse avant de lui dire que les enfants n'avaient pas le droit de dormir avec leurs frères et sœurs à l'hôpital.

— Ça ferait trop de monde.

Denise avait dû se contenter de fréquentes visites à l'hôpital. Nombreuses étaient les infirmières qui l'appelaient par son prénom et la complimentaient sur son amabilité envers son pauvre petit frère. Denise souriait, déchiffrait le nom inscrit sur le badge de l'infirmière et le casait au fond de sa mémoire. Plus tard, elle aurait aussi un badge et elle ferait des piqûres aux gens ; ils se souviendraient bien d'elle. Quand Paul était mort, Denise ne connaissait-elle pas le nom de toutes les infirmières de l'étage où avait été soigné son frère ?

Par la suite, Denise avait marché plus d'une fois dans la neige, pieds nus, afin d'attraper la grippe, une grippe qui dégénérerait peut-être en pneumonie, mais sa mère l'avait simplement gardée à la maison en lui administrant des antibiotiques. Et quand elle s'était foulé la cheville en sautant du haut d'un arbre, le Dr Juneau, qui était venu bander son pied, lui avait recommandé de ne plus jouer à la femme bionique.

Quel idiot ! C'est à Florence Nightingale qu'elle souhaitait ressembler.

Elle avait tout de même eu droit à un déguisement d'infirmière quand elle avait eu la rougeole. Mais ni son père ni sa mère n'avaient jugé bon de l'emmener à l'urgence.

Était-elle moins importante que Paul qu'on transportait à l'hôpital à la moindre fièvre?

Elle retourna dans la chambre de son fils, lui enfila un chandail en coton ouaté par-dessus son pyjama avant de l'entraîner vers le hall d'entrée pour lui mettre son habit d'hiver. Kevin se plaignit de la chaleur tandis qu'elle attrapait son propre manteau, mais elle ne l'entendait pas; elle se demandait quel médecin les accueillerait au CHUL.

Elle préférait avoir affaire à des hommes. Quoique... il y avait à l'urgence de Saint-François-d'Assise une jeune interne qui avait discuté avec elle en témoignant un réel intérêt quand elle lui avait amené Kevin. Les convulsions du petit l'avaient impressionnée même si elle tentait de le cacher. Elle avait félicité Denise de son sang-froid. Denise lui avait confié qu'elle avait, hélas, l'habitude de faire face à ce genre de situation: Kevin était si souvent malade. Ses convulsions l'inquiétaient, car elles annonçaient peut-être les symptômes d'une grave maladie. Dans sa propre famille, son frère était décédé avant d'atteindre l'âge de sept ans. Et sa mère avait eu de nombreuses interventions chirurgicales. Elle-même avait failli mourir d'une méningite, alors...

La jeune interne notait consciencieusement ces informations, tout en tentant de la rassurer. Denise Poissant gardait un bon souvenir de cette blonde aux yeux tristes. Elle la verrait lorsqu'elle retournerait à Saint-François-d'Assise, alors qu'elle n'accepterait jamais que le Dr Patenaude, à l'Enfant-Jésus, examine de nouveau Kevin. Cette femme posait sans cesse des questions au lieu d'écouter ce qu'elle avait à lui dire. Elle détournait le sens de ses réponses, tentait de l'entraîner dans d'autres directions. Est-ce que les symptômes que lui avait décrits Denise ne lui suffisaient pas? Denise savait pourtant de quoi elle parlait! Elle aurait pu enseigner la pédiatrie! Ce n'était pas parce qu'elle n'avait pas les meilleures notes du groupe, quand elle étudiait pour devenir infirmière, qu'elle manquait de talent. Elle aurait même pu devenir généraliste ou urgentologue, si elle n'avait fait la bêtise de signer de fausses ordonnances. C'était si vieux, déjà, et les médicaments lui étaient destinés. Elle n'avait nui à personne, n'avait fourni ni amphétamines ni morphine à des junkies. On aurait dû oublier ce léger écart et lui permettre de poursuivre sa carrière. Au lieu de ça, elle avait dû opter pour la physiothérapie.

Elle ne détestait pas ce travail, qui la maintenait dans le milieu hospitalier, et elle ne s'en lassait pas, car elle ne l'exerçait qu'à temps partiel depuis la naissance de Kevin. Elle avait ainsi le loisir de continuer ses recherches personnelles, de parfaire sa culture médicale à la maison entre les repas ou les soins prodigués à Kevin. Elle s'était même abonnée à *L'Actualité médicale* et la lisait toujours au complet, rêvant du jour où on y accepterait ses propres articles. Elle s'imaginait présenter un témoignage passionnant sur le cas de Kevin. N'était-elle pas la personne idéale pour exprimer avec des mots justes les nombreux traitements qu'avait subis l'enfant ? Dirait-elle les hésitations des médecins ? Nombre d'entre eux avouaient leur impuissance à découvrir de quels maux souffrait exactement Kevin. Elle aurait du mal à résister à la tentation de remettre en cause leur compétence. À moins qu'on ne cesse de douter de la sienne…

À l'Enfant-Jésus, il s'était même trouvé une infirmière pour lui ordonner de rester en dehors de la salle d'examen.

— Votre fils est inconscient, il ne peut vous réclamer. On vous appellera dès qu'il s'éveillera.

Denise Poissant avait protesté ; elle ne se séparait jamais de Kevin. L'infirmière l'avait néanmoins mise à la porte avec fermeté, répétant que ce ne serait probablement pas pour très longtemps. Denise s'était inclinée, mais elle ne fréquenterait certainement plus cet hôpital où on tenait si peu compte de ses volontés.

Elle regrettait d'avoir quitté Montréal. Elle aimait aller à Sainte-Justine, ou à Maisonneuve-Rosemont, ou à l'Hôpital pour enfants.

Il lui arrivait de rencontrer des médecins d'une autre culture ; c'était intéressant de discuter avec eux des problèmes de Kevin.

* * *

Maud Graham hésita un long moment avant de choisir un laguiole à manche de corne. L'ébène lui plaisait aussi beaucoup. Elle-même en possédait un, mais Trottier, à qui elle avait demandé son avis, préférait la corne.

— Tu devrais apporter du saucisson à Rouaix pour qu'il essaye son nouveau couteau, avait-il dit quand elle lui avait parlé de son prochain achat en dînant avec lui.

— C'est prévu.

— Il doit donc être tanné d'être couché à l'hôpital ! Un gars aussi sportif ! On va perdre au hockey… Pauvre lui !

Oui, pauvre lui. André Rouaix s'efforçait de rire des plaisanteries des collègues qui lui rendaient visite au CHUL, mais Nicole, sa femme, avait confié plus tôt à Maud Graham qu'elle ne savait plus quoi inventer pour le distraire.

— Tout impatiente mon cher mari, moi y compris ! Et avec les fêtes qui arrivent… Quel beau Noël en perspective ! À l'hôpital…

— Et Martin ?

Nicole avait émis un rire sans joie avant d'expliquer que leur fils avait été invité chez sa cousine. À Sainte-Adèle. Évidemment, c'était plus marrant que de rester coincé à Québec avec ses parents, dans un hôpital.

— Il aurait pu faire un effort pour André ! Réveillonner avec nous à Noël et partir après, mais il avait une occasion pour monter à Montréal. Il sera aussi là-bas pour le Nouvel An. Le premier sans nous… Il a vieilli d'un seul coup. C'est étrange. Et inconfortable. On a de la difficulté à le comprendre depuis quelques mois. Il était si gentil avant.

— C'est la crise d'adolescence.

— Et moi qui croyais y avoir échappé. Il va avoir dix-huit ans dans quelques semaines, je me croyais à l'abri... Je ne le reconnais plus !

Maud Graham avait senti monter l'exaspération de Nicole au téléphone ; elle devait lui changer les idées.

— Écoute, Nicole, je vais aller voir Rouaix et le petit Maxime tantôt. Ensuite, je t'enlève. Je prévoyais souper avec Léa, tu te joindras à nous. Ça te va ?

Nicole hésitait, regrettant déjà de s'être plainte de l'impatience de son époux.

— C'est réglé, avait fait Graham. Je réserve à La Closerie pour vingt heures.

— En pleine semaine ?

— J'aime mieux sortir la semaine, tu le sais bien. Je déteste la clientèle du vendredi soir dans les restaurants. Des gens qui se sentent obligés de fêter parce que la semaine est finie.

— C'est cependant une bonne raison, Maud. Tu ne peux pas comprendre parce que tu n'as pas de vraie semaine...

— Je te retrouve tantôt, l'avait coupée Graham qui n'aimait pas être contredite.

Et encore moins qu'on s'en aperçoive. Elle s'était mordu les lèvres après avoir raccroché. Nicole avait-elle trouvé son ton trop sec ? Devait-elle la rappeler ? Non. Inutile de la déranger. Elles se verraient dans moins de trois heures. Graham avait téléphoné à sa meilleure amie, à qui elle avait rapporté les propos de Nicole.

— Elle doit en avoir assez ! avait dit Léa. Je n'ose pas imaginer ce que ce serait si Laurent se cassait une jambe. Un mari immobile à la maison ? On deviendrait fous tous les deux. Tiens, je vais inviter Danielle à se joindre à nous.

Graham avait acquiescé, elle appréciait la voisine de Léa, sa douceur, sa manière d'écouter les gens. Ses patients — car elle était infirmière, comme Nicole — l'estimaient pour son affabilité et ses gestes souples, exempts de brusquerie, rassurants. C'était la première fois qu'elles allaient manger toutes les quatre ensemble, mais Nicole avait déjà rencontré Danielle chez Léa, au barbecue annuel.

— Je vais voir Rouaix en sortant d'ici, annonça Graham à Trottier. Tu viens avec moi ? J'en profiterai pour interroger de nouveau le petit Maxime. Il bavardera peut-être plus, aujourd'hui.

— Je t'aurais bien accompagnée, mais je dois emmener mes filles au cours de ballet.

Graham enfilait son manteau quand sonna son téléphone cellulaire.

— Grégoire ?

— Viens-tu boire une bière avec moi ou t'as trop de bandits à attraper ?

— Quand tu parles ainsi, on dirait que c'est un jeu.

— La madame est susceptible ? C'est Moreau qui t'a fait chier ?

Graham soupira, confessa à Grégoire que Rouaix lui manquait. Elle travaillait depuis si longtemps avec lui ; elle avait de la difficulté à s'habituer à un nouveau partenaire. Même si c'était Trottier.

— J'ai l'impression que je dois tout expliquer. Rouaix, j'ai juste à le regarder pour qu'il me comprenne. Mais Trottier est correct... Je me lamente pour rien.

— Comme d'habitude. Viens-tu ?

— Non, je vais rendre visite à Rouaix. Et lui acheter un laguiole.

Grégoire se taisant, elle précisa qu'il s'agissait d'un couteau français.

— Je connais ça, fit Grégoire. J'ai déjà vu le tien. Où tu vas l'acheter ?

Grégoire rejoignit Graham à L'Épicerie européenne. Ils examinèrent attentivement les couteaux, les soupesant, dépliant les lames, comparant les abeilles, caressant les manches de palissandre, de tilleul, de bois de rose.

Ils n'avaient pas fait trois pas à l'extérieur de L'Épicerie que Graham hésitait ; avait-elle fait le bon choix ?

— Si t'aimes tant que ça le manche noir, t'auras juste à en donner un aussi à ton beau Alain. C'est bientôt Noël...

— Tu as raison. À propos, que fais-tu pour Noël ?

Elle regretta aussitôt sa question. Elle aurait dû inviter le prostitué au réveillon au lieu de l'obliger ainsi à avouer qu'il n'avait aucun projet.

Grégoire haussa les épaules.

— Je m'en câlice de Noël, Biscuit. J'ai jamais fêté ça.

— Tu pourrais venir chez moi.

— Pour te regarder te pogner les mains avec le doc ? Merci bien.

Graham protesta en rougissant ; elle était très réservée avec Alain.

— C'est pire ! Je vais avoir l'impression que tu te retiens parce que je suis là. Je vais gâcher votre soirée.

Mais elle était décidée à recevoir Grégoire chez elle pour le réveillon.

— Écoute, j'ai un problème.

— T'as encore cassé, Biscuit ?

Grégoire faisait allusion à la valse-hésitation de la détective. Follement amoureuse d'Alain Gagnon, elle s'abandonnait à ses sentiments et le rejetait ensuite, prétextant la fatigue et le travail pour expliquer sa soudaine indisponibilité. Elle ne dupait pas le médecin légiste, elle le savait, il savait qu'elle le savait. Il savait qu'elle avait peur, une peur effroyable d'aimer et d'être repoussée. Elle résistait, craquait, l'appelait, fuyait, revenait, reculait, avançait, partait, hésitait depuis des semaines, des mois. Et il était toujours là, merveilleusement patient. Elle sentait fondre chaque jour, malgré elle, ses appréhensions.

— Je n'ai jamais cassé. Et on se voit tous les samedis. Et aussi le dimanche.

— Ça adonne bien, Noël est un samedi, cette année.

— Alain ne sera probablement pas de retour à Québec avant vendredi soir. Je voudrais que le réveillon soit réussi, mais je dois rester au poste assez tard. Tu pourrais m'aider à faire la cuisine.

Grégoire siffla en remontant le col de sa veste de cuir. Graham sourit : elle avait été avisée de lui acheter un foulard pour Noël. Elle poursuivait ; ils iraient visiter Rouaix à l'hôpital avant de rentrer chez elle pour souper.

— Je vais y penser, dit Grégoire, flatté que Graham fasse appel à lui.

— Peut-être que Pierre-Yves voudra que…

— Il s'en va dans le Sud. Il m'a offert de venir avec lui, mais je déteste les palmiers.

« Il ment autant que moi », songea Graham en cherchant les clés de sa voiture au fond de son fourre-tout. Elle sentit la forme dure du laguiole et sourit, subitement satisfaite. Rouaix aimerait le couteau. Elle lui raconterait son avant-midi à la cour, la plaidoirie soporifique du procureur qui avait pourtant réussi à faire condamner un récidiviste.

— Je reste dans le coin, décida Grégoire. Je devrais pogner ce soir. Il me semble que je fais un beau cadeau de Noël…

— Tu es toujours beau, Grégoire, Noël ou pas.

Elle s'approcha de lui, lui effleura la joue. La peau du garçon était étonnamment chaude.

— Tu te sens bien ? Tu es…

— Je suis correct, Biscuit. Laisse-moi travailler.

Elle s'éloigna sans se retourner. Il devait la suivre du regard. Elle leva la main pour le saluer avant de s'engouffrer dans sa voiture. Le siège glacé la fit frissonner.

Elle frissonnait encore quand elle poussa la porte de la chambre d'André Rouaix.

Ses traits semblaient moins tirés que l'avant-veille, mais son expression abattue trahissait un ennui profond, un désœuvrement absolu. Des livres s'amoncelaient sur la table de chevet, à côté des revues traitant d'œnologie. Il tapota l'*Érotique du vin* d'un air excédé.

— Le bouquin d'Henning est formidable, bien écrit, subtil, mais c'est le supplice de Tantale… Je donnerais n'importe quoi pour aller pique-niquer avec Nicole et boire un graves.

Graham hochait la tête tandis que Rouaix lui répétait qu'il n'avait pas pu éviter la voiture qui venait vers lui.

— Jacques Villeneuve lui-même n'aurait pu s'en sortir.

— Tu es vivant, c'est l'important !

— Mais je vais rester plâtré assez longtemps merci !

Graham ne trouvait rien à répondre. Elle fouilla dans son sac, sortit le couteau, le tendit à son partenaire avant de déballer le saucisson.

André Rouaix s'extasia. Graham était folle de lui offrir un tel cadeau !

— Tu pourras couper la langue de Moreau s'il vient t'emmerder.

— Graham ! Il n'est pas si mauvais. Il m'a apporté du chocolat. En veux-tu ?

— Parce qu'en plus Moreau me ferait engraisser ?

Elle croisa ses index comme si elle voulait se protéger d'un diable tentateur. Rouaix sourit, taquina Graham sur son régime.

— Profites-tu de mon absence pour manger des chips ?

Elle secoua la tête, mais enchaîna précipitamment sur son avant-midi à la cour, et Rouaix sut qu'elle avait préféré les croustilles à un fruit.

Il l'écouta distraitement rapporter les répliques des avocats, pensant plutôt à leur amitié, se remémorant leurs premières enquêtes. Il l'avait trouvée si bête ! Et elle conduisait trop rapidement ! Il lui avait offert de prendre sa place. Il avait redouté un refus, elle avait accepté sans discuter. Il avait appris plus tard qu'elle détestait conduire, qu'elle appréhendait les embouteillages avant même d'avoir quitté sa demeure. Dès qu'il avait mis les mains sur le volant, elle s'était montrée plus aimable.

Puis il y avait eu, dès le quatrième jour de patrouille, ce vol avec effraction chez les Valois et il avait pu apprécier son sang-froid et son intuition. Elle avait su choisir les mots pour apaiser Mme Valois, blessée, qui refusait de lâcher la main de son mari inconscient. Graham avait par la suite démontré son talent pour mener un interrogatoire. Elle amenait facilement les suspects à raconter leur vie, car elle devisait avec eux. Pour un peu, on aurait cru qu'ils venaient lui rendre visite. Elle parlait beaucoup d'elle. Rouaix savait qu'elle inventait la plupart des anecdotes, et ces digressions, si elles étonnaient d'abord les prévenus, les rassuraient manifestement. La femme qu'ils avaient devant eux ne semblait pas très efficace : elle ne savait même pas poser de questions.

Elle les emberlificotait en ratissant très large pour appliquer ensuite le principe de l'entonnoir, se diriger vers le point qui l'intéressait. Ce soir de juillet, par exemple, qu'est-ce qui avait motivé Dan à entrer chez les Valois ? Quand les suspects niaient, Graham continuait à bavarder avec eux sans s'impatienter, s'éloignant de son but dix fois, vingt fois, y revenant par des chemins différents, tissant sa toile, attendant qu'un aveu s'y égare. Rouaix savait que les pupilles de Graham se dilataient curieusement quand elle questionnait un suspect. Elle paraissait distraite, alors qu'elle enregistrait chaque froncement de sourcils, chaque reniflement, chaque soupir, mesurant le temps qu'il lui faudrait pour obtenir une bonne réponse. Pariant intérieurement sur ce laps de temps, cherchant à gagner contre elle-même.

Rouaix observait Graham avec tant d'intensité qu'elle cessa de parler.

— Qu'est-ce qu'il y a ? Je t'ennuie…

— Non, non ! Je me repose déjà trop ! J'en suis à espérer qu'on m'amène un voisin bavard ou dangereux.

— Dangereux ?

— Qui entretiendrait mon taux d'adrénaline… Je vais être rouillé quand je vais retourner au poste. Je n'en peux plus de faire des mots croisés !

— Tu n'as rien manqué. C'était tranquille jusqu'à la tentative de meurtre sur Desrosiers… Si tu étais au bureau, tu t'ennuierais.

Graham n'aurait avoué à personne d'autre qu'à son partenaire qu'elle souhaitait une affaire complexe et mystérieuse, car ce vœu supposait automatiquement un meurtre sordide.

Mais elle se morfondait depuis quelques semaines, n'ayant que des cas simples à résoudre. Le patron était content: elle remettait des dossiers plus complets qu'à son habitude.

— J'ai le temps de fignoler...

Une infirmière vint les interrompre. Elle allait changer les pansements qui couvraient la gorge et l'épaule de Rouaix. «Avec tous ces éclats de verre, il aurait pu être défiguré», avait dit Nicole à Maud Graham. Comment aurait-il vécu cette épreuve? Il n'aurait jamais pu, par la suite, travailler sur certains cas. Trop aisément repérable. Son physique banal l'avait toujours servi, il en était aussi conscient que sa partenaire. Il avait eu de la chance dans son malheur.

Elle quitta Rouaix en lui promettant de revenir le lendemain.

Elle rencontra Nicole qui se dirigeait vers l'aile de pédiatrie.

— Je vais finir un peu plus tard. Un petit garçon. Il a passé des tests à l'urgence et une échographie. On l'hospitalise pour poursuivre les examens. Il faut que je m'en occupe.

— Ce n'est pas grave, je viens voir Maxime Desrosiers.

— Il vient juste de s'endormir. Pauvre ange...

— Il y a des complications?

— Non, l'intervention s'est bien déroulée. Il récupère. Tant mieux, pendant qu'il dort, il ne s'inquiète pas pour son père. C'est faux... Il fait des cauchemars. Bon, on se reparle au souper.

Nicole s'élançait vers Kevin Poissant, lui passait une main dans les cheveux tandis qu'une collègue l'informait de la situation; le gamin avait vomi quatre fois depuis son arrivée à l'hôpital. Sa mère rapportait qu'il n'avait bu qu'un jus de fruits depuis son réveil. Il s'était plaint ensuite de maux de ventre et il avait fait de la fièvre plus tôt dans la journée. Elle avait même cru à un refroidissement ou à un début de grippe.

En observant Nicole avec Kevin et sa mère, Graham nota une ressemblance entre l'infirmière et Denise Poissant. Nicole était plus petite, plus mince, son front plus haut, mais Denise et elle auraient pu passer pour des sœurs. La forme, la couleur des yeux étaient similaires et elles devaient fréquenter le même coiffeur. Coupe dégradée, frange et mèches bronze.

Nicole rassura très vite Mme Poissant. On allait examiner l'enfant avec soin et on trouverait ce qui cloche. Aurait-il grignoté en cachette ? Mme Poissant hochait la tête, répétait qu'on devait faire tous les examens nécessaires pour déceler la source du mal. Kevin vomit de nouveau. Mme Poissant s'excusa auprès de Nicole qui avait été éclaboussée. Elle tira une serviette humide d'un sac en plastique et épongea l'uniforme souillé malgré les protestations de Nicole Rouaix.

— Ce n'est pas la première fois que cela arrive, hélas, dit Denise Poissant en ramassant le lapin en peluche rose de son fils. Depuis que son père est parti, le petit est de plus en plus souvent malade.

— On va vous installer… Vous êtes déjà venue au CHUL, non ?

— En février dernier, quand Kevin s'est cassé le bras. Et au début de l'été, à cause des allergies. Quel docteur est de garde, aujourd'hui ?

— Vous verrez le Dr Mathieu. Il est très bien.

Nicole caressa le front de Kevin en lui souriant avant de rejoindre Graham.

— Ne m'attends pas. J'en ai encore pour une bonne heure.

Graham quitta le premier étage avec un sentiment de tristesse ; l'enfant éveillait sa compassion. L'attitude trop calme du gamin l'avait bouleversée ; il avait manifestement l'habitude de venir à l'hôpital. Mme Poissant, elle, était plus nerveuse, répétant sans cesse qu'il fallait faire tous les tests nécessaires à son fils : électro-encéphalogramme, radiographie, échographie. Graham, peu familiarisée avec le langage médical, s'était étonnée en écoutant Denise Poissant s'exprimer avec des termes si précis. Puis elle y avait vu la confirmation de son intuition : le jeune malade avait dû faire de longs séjours à l'unité pédiatrique.

Chapitre 2

Graham pensait encore à Kevin en rentrant chez elle, à son regard inquiet. Il avait à peine trois ans ; il devait craindre d'être séparé de sa mère, de devoir dormir à l'hôpital. Et il appréhendait sûrement les piqûres.

Comment Maxime les avait-il supportées ? Graham regrettait de ne pas avoir vu le blessé, même si elle avait écourté sa visite à l'hôpital avec soulagement. Elle ne pouvait y entrer sans angoisse. Elle admirait Nicole et Danielle sans les comprendre : comment avaient-elles pu opter pour une telle profession ? Choisir de travailler au milieu des civières et des appareils de radiographie, des fauteuils roulants et des solutés ? Les deux femmes soutenaient pourtant qu'elles aimaient leur métier, qu'elles l'auraient même adoré si elles avaient pu travailler dans de meilleures conditions. Elles vivaient dans l'angoisse d'avoir mal évalué un cas, dans l'urgence de trouver un lit, de poser un cathéter, de refaire un pansement, de nettoyer une plaie, de répondre à dix personnes à la fois en remplissant des paperasses. Comment parvenaient-elles à sourire aux malades, à les rassurer dans ce manège dément ? Quand Graham avait rejoint Rouaix à l'urgence du CHUL, il y avait trente-sept patients pour une possibilité d'occupation de vingt civières, mais l'infirmière au triage ne paraissait pas surprise le moins du monde. Le quotidien en folie…

Un miaulement de Léo fit sourire Graham. Elle se pencha pour le soulever et revint vite à Kevin quand elle étreignit son chat contre sa poitrine, se rappelant comme il serrait son lapin en peluche rose.

Le ronronnement de Léo la rasséréna et elle sourit en entendant un message d'Alain dans sa boîte vocale. Il s'ennuyait d'elle et avait hâte de rentrer à Québec. Il avait découvert un restaurant formidable dans le Plateau Mont-Royal, Le Petit

Lyonnais. Alain décrivait l'onctuosité de la soupe à l'oignon gratinée, les cuisses de grenouille frémissant dans le beurre à l'ail, l'atmosphère si chaleureuse, si intime, le sourire des jeunes propriétaires, et il promettait à Graham de l'emmener rue Chambord quand elle viendrait à Montréal.

Graham réécouta le message deux fois, saliva, hésita et renonça à l'effacer, même si elle avait déjà conservé d'autres messages d'Alain Gagnon. Elle se sentait ridicule, se reprochait de jouer les midinettes à son âge, mais elle aimait tant écouter la voix du médecin légiste avant d'aller dormir. Quand elle rentrerait du restaurant, elle aurait un peu l'impression qu'il était là, tout près d'elle, attentif et amoureux.

Amoureux. Pour la vie? Personne ne pouvait répondre à cette question qui empoisonnait l'existence de la détective, qui l'empêchait de s'abandonner complètement à l'amour. Léa et Grégoire l'assuraient de la sincérité d'Alain Gagnon. Elle-même y croyait, mais elle ne réussissait pas à oublier l'état dans lequel l'avait plongée, quelques années plus tôt, le départ de Yves. Son travail l'avait sauvée, certes, mais elle doutait que le stratagème fonctionne aussi bien une seconde fois. Ses défenses faiblissaient pourtant…

— Tant mieux! s'exclama Léa quand elles se retrouvèrent au restaurant.

Maud était sotte de perdre un temps précieux en questionnements oiseux alors qu'un homme adorable se jetait à ses pieds, la faisait rire, l'admirait et la désirait.

— Lis plutôt le menu. Tout me fait envie… La pintade au vin rouge, peut-être? Il y a aussi du cassoulet, il est délicieux.

— Ah oui? Dans ce cas, je…

L'arrivée de Danielle l'interrompit. Graham se leva pour l'embrasser tout en notant ses traits tirés.

— Tu as l'air fatiguée. Grosse journée à l'hôpital? lui demanda Léa.

— Comme d'habitude… Non, c'est ma fille qui est malade, la varicelle. Elle n'admet pas qu'on ne puisse traîner dans les magasins pour choisir ses cadeaux de Noël. Heureusement, j'en avais acheté quelques-uns. Mais pour la fameuse poupée…

— C'est plus drôle à chercher qu'un camion ! déclara Nicole Rouaix en rejoignant le trio. Je me suis tellement dévouée pour dénicher une pelle mécanique, un char d'assaut et une voiture de course quand Martin était petit ! Vous allez bien ? Vous avez commandé l'apéro ?

Tout en sirotant un kir royal à la mandarine, Maud Graham s'informa de la santé de Maxime. S'était-il réveillé après son départ ?

— Non, mais ne t'en fais pas, il est jeune. La blessure était belle.

— Et le petit qui s'est présenté comme je partais ?

— Kevin ? On ne sait pas ce dont il souffre. S'il n'avait que vomi… mais sa mère dit qu'il a fait de la fièvre, le matin.

— Cette femme te ressemble un peu. Elle est plus grande, plus forte…

— Mme Poissant ?

Comme Nicole s'étonnait, Graham insistait ; même coupe de cheveux, même forme de visage, même bouche ourlée.

— Mme Poissant ? dit Danielle.

Elle fronçait les sourcils, se voila les yeux d'une main pour mieux se concentrer avant de déclarer qu'elle avait eu une patiente, à l'Hôtel-Dieu de Québec, qui aurait pu effectivement passer pour la sœur de Nicole.

— Une grande femme, très jolie, avec un garçon. Je m'en souviens parce que l'enfant était vraiment petit pour son âge.

— Denise Poissant est bien plus jeune que moi, protesta Nicole. Je vais avoir quarante ans !

Maud Graham taquina Nicole en l'assurant qu'elle survivrait à cet anniversaire tant redouté. Elle comprenait néanmoins l'angoisse de Nicole depuis qu'elle fréquentait Alain Gagnon ; elle aurait payé cher pour avoir le même âge que lui.

— Kevin est allé récemment à l'Hôtel-Dieu ? questionna Nicole, qui voulait changer de sujet même si elle se trouvait ridicule de faire de son anniversaire un sujet tabou.

— Il y a un mois et demi environ. Des diarrhées inexplicables… si je me souviens bien.

— Et vous nous l'avez envoyé…

— Oui, sûrement.

— Il doit s'en être sorti tout seul, car on n'avait pas vu Kevin au CHUL depuis ses tests pour les allergies cet été.

— Le gamin semble avoir l'habitude des hôpitaux, non? fit Graham. Il n'avait pas l'air surpris. Parce qu'il est trop jeune, peut-être? Je ne m'y connais pas tellement…

— À moins de souffrir le martyre, répondit Danielle, beaucoup d'enfants sont malgré tout curieux. Les civières et les appareils les fascinent. On empêche bien des petits bonshommes de faire la course dans les corridors en fauteuil roulant!

— On accueille près de vingt mille enfants par année au CHUL, ajouta Nicole. Un bon pourcentage d'entre eux vient pour des accidents… souvent causés par la témérité. J'ai même soigné un garçon qui s'était fabriqué des ailes en carton et avait sauté du deuxième étage!

— On voit de tout dans un hôpital, murmura Maud Graham.

Il lui était arrivé quelques fois d'accompagner, pour un examen, des suspects à l'Hôtel-Dieu après leur arrestation. Parce qu'ils étaient ivres, drogués ou qu'ils avaient été blessés dans une rixe. La détective tenait à s'assurer de leur état avant de les enfermer en cellule. Elle détestait les surprises: hémorragies, pertes de conscience ou crises cardiaques. Et les récriminations d'un avocat qui pourrait prétendre que son client avait besoin de soins au moment de son arrestation, mais qu'on l'avait volontairement négligé. Graham plaignait les policiers et les infirmières qui travaillaient les fins de semaine dans le quartier latin. Les victimes du PCP ou de l'ecstasy, en proie à une grande agitation, devaient être maintenues sur les civières de contention. Alors les soirs de carnaval ou de Saint-Jean-Baptiste…

— Oui, on voit de tout chez nous, affirma Danielle. Plus rien ne nous étonne.

— Papa! s'écria Kevin en reconnaissant la silhouette par la fenêtre du salon.

— Papa?

Denise Poissant se mordit les lèvres au sang: que venait faire ici son ex-mari? Bernard Rivet avait affirmé au téléphone qu'il ne descendrait pas à Québec avant la Saint-Sylvestre. Il était pourtant là. Il sonnait à la porte. Il tentait d'introduire sa clé dans la serrure. Elle l'avait fait changer. Il allait se fâcher, devrait sonner de nouveau et attendre qu'elle lui ouvre.

Elle s'approcha de la porte, le cœur battant, tandis qu'il l'interpellait:

— Denise, ouvre-moi, Denise!

Elle aurait voulu pouvoir l'anéantir sur-le-champ, que la foudre le pétrifie ou ensorcelle le bouton de la sonnette et que Bernard s'électrocute en y appuyant l'index. Rien! Elle ouvrit d'un geste large.

— Papa! cria Kevin.

— Attention, mon garçon, tu es pieds nus!

L'enfant souriait à son père, mais recula légèrement quand l'homme s'approcha de lui.

— Tu vois, lança Denise Poissant, tu ne lui manques pas tant…

Bernard Rivet serra les dents tout en tirant un paquet caché dans une poche de son manteau.

— Tiens, c'est pour toi, Kevin. C'est ton premier cadeau de Noël. Il y en aura d'autres quand tu viendras me voir à Montréal.

— Ne lui raconte pas de mensonges.

— J'ai acheté des camions et une grue.

— Il n'ira pas à Montréal.

Bernard Rivet saisit son ex-épouse par le bras, le serra si fort qu'elle gémit. Il la relâcha en maugréant.

— J'ai le droit de voir mon fils!

— Tu aurais dû y penser avant de nous quitter.

— C'est toi que j'ai quittée, pas lui !

— Tu lui fais peur ! Tu lui as toujours fait peur !

— Arrête tes bêtises !

— Ce n'est pas moi qui lui ai cassé le bras !

Bernard hurla que c'était un accident et qu'elle n'avait pas le droit de lui reprocher cet événement jusqu'à la fin de ses jours. Elle affirma que l'enfant faisait des cauchemars, qu'il criait dans son sommeil le nom de son père.

— Tu mens, tu le montes contre moi !

— Un enfant de son âge ! Tu dérailles, mon pauvre. Que veux-tu qu'il comprenne ?

Bernard Rivet quitta la cuisine et revint vers Kevin qui ne réussissait pas à déballer son cadeau. Quand il se pencha pour l'aider, l'enfant se mit à pleurer et l'homme se redressa aussitôt.

— Je veux juste t'aider, mon beau garçon.

Kevin avait laissé tomber le paquet.

Denise le ramassa et déchira le papier doré. Kevin poussa un petit cri de joie en voyant la voiture de course. Il s'en empara et se mit à quatre pattes pour la faire rouler jusqu'au salon.

— Tu vois, il aime mon cadeau.

— Il aime les voitures. N'importe quelle voiture, venant de n'importe qui. Rentre donc chez toi. Va rejoindre ta greluche.

— Tu n'as pas le droit de parler comme ça de Marjolaine !

— Elle ne s'occupera jamais de mon fils.

— C'est le mien aussi et je viendrai le chercher pour mon anniversaire. Que ça te plaise ou non !

Il claqua la porte après un dernier sourire pour Kevin et se retint de casser en mille miettes le pare-brise de la voiture de Denise.

Il s'engouffra dans son auto, mais resta un long moment à regarder la maison où vivait son fils, la maison qu'il avait désertée juste après la visite d'une assistante sociale, neuf mois auparavant. Il avait eu tort. Quelles preuves avait-elle pour le soupçonner de mauvais traitements à l'enfant ? Kevin avait eu le bras cassé en tombant de la table de la cuisine, il l'avait répété dix fois au médecin. Et il avait souvent des bleus et des bosses parce que c'était un garçon et qu'il était téméraire. C'était normal qu'il coure, qu'il se cogne et tombe.

Bernard avait cependant quitté la maison après que Denise l'eut menacé de raconter sa version à son supérieur. L'armée était toute sa vie ; il avait craint que les allégations de sa femme n'entachent sa réputation. Une carrière pouvait être compromise par un soupçon, par une rumeur. Surtout si on les niait.

Il s'était envolé pour une mission en se jurant de reprendre Kevin à Denise. Il choisirait le meilleur avocat et se vengerait de cette folle qui gâchait sa vie.

En voyant deux soldats, là-bas, sauter sur une mine, il avait regretté que ce ne soit pas son ex-femme qui soit ainsi déchiquetée.

Quand Bernard partit enfin, Denise quitta son poste d'observation avec un sourire de satisfaction. Il avait dû battre en retraite.

Bernard pourrait bien se présenter en janvier, tambouriner à leur porte, hurler. Il finirait par se rendre à l'évidence et admettre qu'il n'y avait personne dans la maison. Elle ne lui répondrait pas. Ou elle irait à Baie-Comeau avec son fils. Personne ne les séparerait.

* * *

Maxime n'avait pas pu voir son père depuis la fusillade. On lui avait dit qu'il avait subi une grosse opération et qu'il devait se reposer. Que personne, hormis les médecins, ne pouvait l'approcher. De toute manière, il était toujours inconscient.

L'intervention avait été longue. Une balle avait fait éclater la rate et perforé l'intestin, l'autre avait frôlé le cœur. Une importante perte de sang avait entraîné une insuffisance rénale et, après une journée aux soins intensifs, on avait monté le blessé, toujours semi-comateux, au service de néphrologie, en prévision d'une hémodialyse. À condition, bien sûr, qu'il n'y ait pas de complications. Pas d'infection. On avait fait un scanner après l'opération et découvert un hématome sous-dural qui expliquait son état neurologique. Il ne restait plus qu'à espérer.

Maxime aurait préféré être hospitalisé à l'Hôtel-Dieu pour voir son père plus souvent plutôt que d'être transféré au CHUL. Après qu'on eut soigné sa blessure, Nicole Rouaix l'avait accueilli au service de pédiatrie en précisant qu'elle connaissait bien Danielle, de l'Hôtel-Dieu de Québec. Elle lui téléphonerait régulièrement pour avoir des nouvelles de son père.

Maxime s'était plaint de ne pas avoir vu la balle qui avait transpercé son épaule — et son manteau pourtant épais! —, mais Nicole lui avait expliqué que c'était une pièce à conviction et qu'elle était maintenant entre les mains des techniciens de l'identité judiciaire.

— J'aurais voulu la montrer à Philippe et à Jérôme…

Au moins, il ne pourrait écrire durant quelques jours; il échappait aux derniers examens avant Noël. Marie-France Pagé, l'assistante sociale qui avait été chargée de son dossier, l'avait réconforté en lui apprenant que son professeur lui accorderait la moyenne générale. Marie-France l'avait aussi avisé qu'elle tentait de joindre sa mère à Toronto, mais sans succès.

— Elle doit être dans le Sud, avait avancé Maxime. À Cuba, peut-être. Mon père dit que c'est un vrai lézard. Elle voudrait toujours être au soleil. Elle aurait été mieux de déménager en Floride. Mais son mari a une grosse compagnie à Toronto.

Marie-France Pagé avait vite compris qu'il ne faudrait pas trop compter sur la mère pour s'occuper de Maxime à sa sortie de l'hôpital. Quand Marie-France avait fait part de son inquiétude à Nicole Rouaix, celle-ci l'avait informée qu'on garderait l'enfant encore plusieurs jours à l'hôpital. Il demeurerait au CHUL jusqu'à ce que Maud Graham en sache plus sur l'agression dont il avait été victime. Après…

La détective avait discuté du sort de l'enfant avec Rouaix. Il pensait, comme elle, que Maxime était plus en sécurité à l'hôpital. Si l'un des agresseurs apprenait que lui et son père avaient survécu? Devrait-il achever son travail? Graham aurait souhaité que des policiers en civil assurent la garde de Bruno Desrosiers et de son fils, mais son patron avait refusé, même si Maxime était le seul témoin oculaire de l'agression.

— Desrosiers n'est pas Donald Lavoie! avait marmonné Robert Fecteau.

L'allusion de son patron à un célèbre délateur avait vexé Graham.

— C'est un bon informateur, plaida-t-elle.

— Ah oui? Qu'il sorte du coma, calvaire! On va avoir l'air de quoi, veux-tu bien me le dire?

Desrosiers avait averti Graham, quelques semaines auparavant, qu'une livraison de drogue serait effectuée au chalet du juge Plante. Elle avait refilé l'information à Jasmin qui enquêtait sur ce trafic. Elle avait insisté auprès de Desrosiers: ce qui intéressait son service, celui des crimes contre la personne, c'était le nom et l'adresse d'un des vendeurs du réseau, le nom d'un homme soupçonné du meurtre de Me Girard. Graham avait espéré que ce serait Joss Wilson et attendait la confirmation de Desrosiers, quand deux balles avaient empêché ce dernier de se présenter à leur rendez-vous.

Bien sûr, c'eût été trop simple que Wilson tire aussi sur Desrosiers, mais il était dans le bureau d'un officier de probation au moment où Bruno Desrosiers avait été attaqué.

Peut-être que Jasmin trouverait des indices en continuant à enquêter sur le trafic de coke; les vendeurs n'étaient sûrement pas des enfants de chœur.

Iraient-ils jusqu'à tenter de supprimer un gamin?

Que s'était-il passé? Elle devait gagner la confiance de Maxime. Sans jamais lui montrer son inquiétude quant à son avenir. Son père s'en sortirait probablement, mais quand? Il avait été gravement atteint et les médecins redoutaient encore des complications. En cas de survie, la convalescence s'étirerait sur des semaines. Maxime ne pourrait pas rester auprès de son père. Quel foyer l'accueillerait quand elle aurait obtenu tous les renseignements désirés? Qui comprendrait le choc qu'il avait subi? Il fallait qu'il lui révèle qui avait tiré ces trois balles qui bouleversaient son existence.

Trois balles qui ne réussissaient pas, toutefois, à modifier son attitude optimiste. Depuis que Bruno Desrosiers avait été opéré, Maxime semblait plus détendu. L'enfant n'écoutait pas les adultes qui lui répétaient que des complications pouvaient survenir. Son père vivrait!

Maxime intriguait beaucoup Maud Graham car, selon Marie-France Pagé, il avait toujours vécu avec Bruno Desrosiers.

Comment ce musicien sans contrat, petit informateur, parfois vendeur de hasch, pouvait-il éduquer un enfant? Maxime prétendait que de nombreuses gardiennes s'occupaient de lui, mais il avait été incapable de fournir un nom complet quand Marie-France avait insisté.

— Il invente ces gardiennes, avait-elle dit à Graham. C'est la maltraitance par omission, par absence. Le père s'occupe de l'enfant quand il le peut, quand il y pense. Ce petit est incroyablement résistant! Sa curiosité est sans limites, et sa gaieté… Je n'ai rencontré que quelques enfants comme lui en vingt ans de carrière! Savez-vous qu'il a même prévu un remplaçant pour sa livraison de journaux?

Maxime n'était pas dans sa chambre quand Maud Graham s'y présenta. Elle finit par apprendre qu'il s'amusait gentiment dans l'aire de jeux, un peu plus loin à gauche dans le corridor.

— Il est formidable avec les petits!

Maxime était assis par terre et aidait une fillette à faire un casse-tête. La gamine, chauve, riait aux éclats quand il murmurait à son oreille. Que lui racontait-il pour qu'elle oublie sa maladie? Il s'assombrit en reconnaissant Graham; elle savait qu'il lui mentait. Combien de temps pourrait-il encore garder le silence sans qu'elle se fâche ? Il fallait que son père reprenne conscience aujourd'hui !

— Maxime, tu veux venir avec moi dans ta chambre ?

En s'assoyant sur son lit, Maxime désigna l'autre lit.

— J'ai hâte d'avoir un voisin. On pourra parler.

— De quoi jaserais-tu avec lui ?

— Des autos. Aimes-tu les autos, toi ?

— Moins que mon partenaire. Il est ici, au même étage. On ira lui rendre visite si tu veux.

— On lui a tiré dessus, lui aussi ?

Graham expliqua à Maxime que Rouaix avait été victime d'un accident de voiture, une collision semi-frontale, parce qu'un type avait grillé un feu rouge. Résultat : fracture ouverte du fémur.

— Son pied est resté coincé sous le tableau de bord, les os ont cédé. Très mauvaise fracture, selon les médecins.

— Les os ont percé la peau ?

Graham fit la grimace.

— Il a eu aussi deux côtes fêlées. Et un choc au dos. J'espère qu'on ne lui découvrira rien aux vertèbres.

— Tu l'aimes beaucoup ?

— C'est comme un frère. On travaille ensemble depuis tellement d'années... Aimerais-tu mieux discuter avec lui, entre hommes ?

Maxime aurait surtout voulu que son père puisse lui indiquer ce qu'il devait faire. Il haussa les épaules, gémit.

— J'oublie de ne pas trop bouger...

— Tu viens de dire qu'on vous avait tiré dessus.

L'enfant se troubla, protesta : ce sont les ambulanciers qui lui avaient raconté ce qui était arrivé chez lui.

— Pendant que je me remettais du choc, précisa-t-il.

— Je ne te crois pas, Maxime... Moi aussi, je mens, murmura-t-elle. Je mens parfois à mon patron. Pour arranger les choses... Ou avec un suspect.

— Est-ce que tu mens à mon père ?

— Non, je n'ai aucune raison de le faire.

— Vous vous connaissez depuis longtemps ?

Graham hésita ; que devait-elle apprendre à cet enfant ? La vérité ? Une partie, au moins. La moins sale.

— Je l'ai connu par hasard, il y a un an et demi. On ne se voit pas souvent… Je suis allée l'entendre une fois, dans un bar.

— Il n'ira pas en prison, hein ?

— Il s'occupe beaucoup de toi ?

Maxime hocha la tête avec conviction ; son père ne l'avait jamais laissé seul plus de deux jours.

— Ton père a l'air d'aimer beaucoup la musique, reprit Graham. Mon ami adore le jazz.

— Moi aussi, je vais être musicien quand je vais être grand. Je vais jouer du sax. Mon père m'en a donné un à ma fête.

— Es-tu bon ?

— Pas pire.

— On pourrait peut-être aller chercher ton instrument et l'apporter ici…

Maxime pouffa de rire et tapota son épaule bandée.

— J'aurais de la misère à jouer.

Elle rit de sa bêtise.

— C'était fin de me l'offrir.

— C'est normal, tu es gentil. Je t'ai vu avec la petite fille…

— Sa mère ne pouvait pas être avec elle toute la journée parce qu'elle a un autre bébé. Elle s'ennuie.

Il devait lui aussi se languir de sa mère, de cette absente qui ne viendrait probablement jamais le voir à l'hôpital. Graham éprouvait du ressentiment envers cette inconnue qui abandonnait son fils à un irresponsable. Elle lui rappelait la mère de Grégoire qui avait préféré son amant à son fils. Depuis qu'elle était l'amie de Grégoire, elle mesurait l'étendue des dégâts causés par la cruelle indifférence de cette femme qui avait refusé de croire que son concubin avait abusé de son fils et qui se moquait que ce dernier se prostitue depuis l'agression. Comment pouvait-on rejeter la chair de sa chair ? Quand elle voyait Léa avec ses enfants, si aimante, si attentive, si curieuse d'eux, elle songeait que le bonheur était là, dans l'absolue certitude de cet amour, et elle se réjouissait que sa meilleure amie lui offre une image sereine. Même à l'heure du souper, entre les devoirs à finir, le bain à prendre et les disputes devant la télé.

Maxime n'avait-il pas autant de droits que Sandrine ou Félix ?

— Par ici.

Graham reconnut la voix de Nicole. Elle accompagnait de nouveau Denise Poissant et son fils.

— On va vous installer confortablement…

Mme Poissant sourit à Maxime, mais son visage se durcit dès qu'elle se tourna vers Nicole Rouaix. Elle l'entraîna hors de la pièce et Graham devina qu'elle exprimait sa déception à l'idée que Kevin doive partager la chambre. Graham comprenait Denise Poissant ; elle n'avait été hospitalisée qu'une seule fois dans sa vie, mais supporter sa voisine avait été bien plus éprouvant que l'intervention. Mme Poissant constaterait néanmoins que Maxime était un enfant attachant et intelligent qui pourrait l'aider à distraire le petit garçon.

L'apathie de Kevin troubla Graham. La paralysa. Elle aurait voulu soulager l'enfant, mais elle n'osait pas le toucher de peur de lui faire mal. Il tenait toujours son même vieux lapin contre lui d'un air las.

— Laissez-le se reposer, s'il vous plaît, fit Denise Poissant en s'approchant du lit dans un geste protecteur.

— Je ne le dérangerai pas, promit Maxime. Qu'est-ce qu'il a ?

— C'est ce qu'on voudrait bien savoir ! Il allait mieux, on est rentrés chez nous et nous revoilà ici.

— On va le réexaminer, affirma Nicole. À l'urgence, ils croient que c'est plus grave qu'une gastroentérite…

— Ce n'est pas ça, de toute manière, dit Denise Poissant. Il ne vomit plus. Il a mal au ventre.

Elle s'adressa à Nicole Rouaix ; on ne devait plus hésiter à pratiquer une intervention.

— Mais, madame…

Denise Poissant lui sourit tout en effleurant de sa main les cheveux de Kevin.

— Appelez-moi Denise, on commence à se connaître. C'est même étonnant que je ne vous aie pas vue l'an dernier, quand le petit s'est fracturé le bras.

— J'étais retournée aux études et…

Denise Poissant l'interrompit pour évoquer la possibilité d'une appendicite. Elle savait bien que Kevin avait mal au ventre parce qu'elle l'avait forcé à manger des choux de Bruxelles et des fèves au lard alors qu'il n'y était pas habitué. Il en était légèrement incommodé et probablement que ce malaise ne justifiait pas une hospitalisation, mais ce n'est pas Kevin qui révélerait la vérité. Si elle se montrait persuasive, si les détails qu'elle décrivait frappaient les médecins, elle parviendrait peut-être à les convaincre de pratiquer une belle intervention. Elle répéta que Kevin se tordait de douleur à la maison, qu'elle était venue même si les crises s'étaient atténuées.

— La fille de ma cousine avait le même mal de ventre que Kevin! relata Mme Poissant. On l'a opérée l'an dernier pour l'appendicite.

— Ce n'est pas sûr, madame… Denise. Il y a bien des causes aux maux de ventre. Vous allez en discuter avec le Dr Mathieu. Il sera là dans cinq minutes. Reparlez-moi des symptômes que vous avez remarqués chez Kevin cet après-midi.

Graham fit signe à Maxime de l'accompagner. Elle aurait dû retourner à la centrale du parc Victoria, mais la force joyeuse qui émanait de l'enfant la retenait. Elle ne voulait pas seulement savoir ce qui s'était passé lors de la fusillade, elle voulait tout apprendre de ce garçon qui ne baissait les yeux qu'en proférant un mensonge. Sinon il vous regardait franchement, amène quoique averti, sage et joyeux. D'où tenait-il ce magnétisme si particulier?

— Tu dois avoir beaucoup de copains à l'école, fit Graham.

— Oui. Je suis ami avec Jérôme, Olivier, Philippe, Joseph, Marco et Grégoire.

— J'ai aussi un ami qui s'appelle Grégoire.

— C'est peut-être le même ? hasarda Maxime.

— Non, Grégoire a dix-huit ans. Il est plus jeune que moi, mais plus vieux que ton ami.

— J'ai un ami qui est encore plus vieux, dit Maxime. Ricardo. Je livre le journal chez lui. J'espère que Philippe n'a oublié personne !

— Veux-tu lui téléphoner ?

Graham sortait un cellulaire de la poche de son manteau. L'enfant s'en saisit en vérifiant l'heure à sa montre. Oui, Philippe devait être revenu de l'école.

Maxime s'informa de la livraison des journaux ! Philippe jura qu'il s'était levé à six heures pour les distribuer. Et qu'il n'avait fait aucune erreur dans son parcours. Maxime raccrocha, satisfait.

— Je ne veux pas perdre ma job. Pour une fois qu'on reste assez longtemps dans le même quartier ! Philippe a dit que Mme Gérard a pris de mes nouvelles. Et Ricardo. Il fait des souliers. Regarde les miens, c'est lui qui les a réparés. Et il va me donner des bottes pour Noël. Je le sais, je les ai vues dans son magasin.

Graham se baissa pour mieux examiner les chaussures du gamin. Elle émit un sifflement admiratif.

— Je devrais lui apporter mes chaussures. Les miennes font pitié…

L'enfant s'excitait ; Ricardo Martines réparait tout !

— J'irai à sa boutique, promit Graham.

Elle avait envie de voir cet ami qui savait qu'un enfant a besoin de bons souliers.

— Demain ? Vas-tu aller voir mon père en même temps ? La cordonnerie n'est pas si loin de l'Hôtel-Dieu. C'est près de la bibliothèque. M'emmènes-tu ?

— Quand ton père ira mieux.

Elle espérait s'être exprimée d'un ton convaincant, mais elle regrettait de ne plus croire aux prières, de connaître Bruno Desrosiers et que celui-ci puisse mourir. Pourquoi fallait-il que le fils de Desrosiers la bouleverse autant?

Elle avait bien assez de Grégoire pour lui broyer le cœur et la tenir éveillée certaines nuits. Elle se disait que le jeune prostitué allait se faire arrêter, battre ou tuer si elle ne réussissait pas à le sortir de la rue. Elle n'aurait pas assez de larmes pour le pleurer si on l'assassinait. Elle avait avancé tant d'arguments, sans le convaincre d'abandonner le métier. Léa et Alain lui affirmaient que Grégoire arrêterait de se vendre quand il l'aurait décidé, pas avant. Elle n'y pouvait rien.

Devrait-elle se tourmenter maintenant pour Maxime? Il avait ouvert une brèche dans son cœur. Elle n'était plus en sécurité, mais refusait de l'admettre.

— Je ne pense pas que je pourrai jouer avec Kevin, chuchota Maxime alors qu'ils revenaient vers la chambre.

— Il est souvent malade. Je l'ai vu ici, il y a trois ou quatre jours.

— Quand j'ai eu mon accident?

— Oui, tu devais être encore à l'Hôtel-Dieu…

— Ils l'ont mal soigné, s'il revient?

Graham protesta.

— Les médecins sont compétents. Kevin doit être un cas plus compliqué.

— Au moins, sa mère est là. Il ne s'ennuiera pas comme Élodie.

Maxime frappa deux petits coups à la porte de la chambre. Nicole l'ouvrit à demi et fit entrer l'enfant, mais refusa l'accès à Maud Graham.

— Je vais voir Rouaix, dit Graham à Nicole avant de promettre à Maxime de revenir.

— Je ne me souviendrai pas plus de ce qui…

— Je sais, ne t'inquiète pas. L'important, c'est que tu ailles mieux.

— Et mon père, surtout mon père.

Graham s'efforça de sourire. En s'assoyant près de Rouaix, elle lui fit une description passionnée de Maxime.

— J'aimerais bien le rencontrer. Il se décidera peut-être à tout me raconter, à moi…

— Non, j'ai bien compris son manège. Il va se taire tant que son père ne lui aura pas permis de parler. Je ne sais pas ce que ça cache, mais Maxime ne fléchira pas. Sauf si Desrosiers meurt… Mon Dieu ! J'irais quasiment allumer des lampions pour qu'il s'en tire.

En même temps, elle refusait de croire que Maxime retournerait vivre avec son père dans des conditions de vie plus qu'inadéquates, et cela, pour des années encore. Rien ne serait plus comme avant. Maxime l'émouvait trop. Trop vite. Elle ne réussissait pas à dominer ses sentiments à son égard.

— Il… il est merveilleux.

— Graham, la réprimanda Rouaix, te rends-tu compte de ce que tu… C'est la crise de la quarantaine et ta propension à ramasser tous les chiens écrasés. Si tu savais vraiment ce que c'est que d'avoir un enfant, tu n'en voudrais pas autant.

— Je n'ai jamais prétendu que je voulais un enfant !

— Tu n'as jamais dit le contraire. Mais ça peut s'arranger : on pourrait envoyer Martin chez toi pour quelques semaines…

— Ce n'est pas la question.

Rouaix balaya les revues qui jonchaient son lit d'un geste rageur.

— Il n'est même pas revenu me voir ! C'est un sans-cœur ! On se crève pour lui offrir ce qu'il y a de mieux et ce n'est pas encore assez. Il a honte de moi parce que je suis dans la police.

— Martin traverse une mauvaise période.

— Mes crises, mon père me les guérissait avec des coups. J'ai voulu faire le contraire, mais on a été trop mous.

— Oui, peut-être, dit Nicole qui apportait une collation à son mari.

Elle s'approcha de Rouaix, tendit sa joue.

43

— Ça pique ! Je ne reste pas longtemps, je voulais attraper Maud avant son départ. Maxime t'a impressionnée, hein ? On en est toutes folles, à l'étage. Il est drôle, attentif aux autres. Une soie ! C'est une vraie bénédiction qu'il partage la chambre de Kevin. Je suis certaine qu'ils vont bien s'entendre.

— À condition que la mère laisse Maxime s'approcher de son fils. Elle a l'air très protectrice. Je suppose qu'avec un enfant qui est souvent malade, c'est un réflexe normal. De quoi souffre Kevin ?

Nicole soupira ; elle l'ignorait.

— Vous ne trouvez pas le bobo ?

— Il ne vient jamais pour la même chose. Il y a un an et demi, il est venu pour des convulsions. Mais tout est rentré dans l'ordre, on n'a rien décelé d'étrange. Quelques mois plus tard, il s'est cassé le bras ; l'assistante sociale a conclu à un accident. L'autre jour, il vomissait tripes et boyaux. Sa mère dit aujourd'hui qu'il a mal au ventre. Et Danielle l'a déjà vu à l'Hôtel-Dieu, souffrant de diarrhées violentes, complètement déshydraté. C'est illogique.

— Un nouveau virus ? hasarda Rouaix.

— On n'a pas encore mis le doigt sur le problème. Les tests pour les allergies n'avaient rien montré d'inhabituel. Ça devait être juste un rhume, mais sa mère s'est affolée parce qu'elle-même est allergique au pollen.

— Mais cette semaine, quand il vomissait ?

— On ne sait pas pourquoi. Ce qui nous préoccupait, ce n'étaient pas juste les vomissements. Denise Poissant nous avait avertis que Kevin avait fait de la fièvre avant de commencer à avoir des nausées.

— Qu'en pense-t-elle ?

— Mme Poissant n'y comprend rien non plus. Elle collabore bien, elle veut qu'on fasse tous les tests… J'ai réussi à en savoir davantage sur la famille : son mari l'a quittée après que Kevin s'est brisé le bras. «Il en avait assez des soins qu'exige un enfant malade», m'a-t-elle dit.

— Ça doit être très dur…

— D'autant plus qu'ils avaient déjà vécu la mort d'un premier bébé. De pareilles épreuves soudent ou brisent les couples. Avec un deuxième enfant malade, la vie ne devait pas être rose tous les jours. Et ce n'est pas tout! Denise m'a confié que son mari était violent quand il buvait. Il y en a qui n'ont pas de chance…

La neige qui tombait à gros flocons ne suffit pas à dérider Maud Graham quand elle rentra chez elle. Elle regardait sa cour immaculée, les branches de l'olivier de Russie se couvrir d'une poussière argentée sans que toute cette douceur l'atteigne et l'apaise. Elle avait l'habitude de côtoyer la misère et la violence, mais ces fréquentes visites à l'hôpital la déprimaient. N'avait-elle pourtant pas tout vu en fait d'horreur en quinze ans de métier?

Elle flattait Léo distraitement en s'interrogeant sur la couleur du ciel et sur les désirs de Maxime. Elle souhaitait lui faire une surprise pour Noël.

Le plus beau cadeau serait évidemment qu'il puisse parler avec son père. Plus que cinq jours avant Noël… Est-ce que le miracle se produirait?

Chapitre 3

— Son état est stationnaire, dit Nicole Rouaix à Maxime après avoir téléphoné à l'Hôtel-Dieu.

— C'est bon signe ? interrogea l'enfant en se dirigeant vers sa chambre. Quand est-ce que je vais aller le voir ?

— Bientôt. Pour l'instant, il a besoin de ses forces pour lutter contre l'infection. Il est bien entouré.

— Si on s'en occupe autant que la mère de Kevin le fait, il va aller mieux ! Elle est toujours à côté de lui. Elle a l'air habituée de le soigner. On dirait une vraie infirmière.

— Tu ferais un bon détective, fit remarquer Nicole. Mme Poissant est physiothérapeute.

— Quand je me suis réveillé, cette nuit, elle était assise dans le fauteuil et le surveillait. Est-ce qu'il va mourir ?

— Non, on va trouver ce dont il souffre et le guérir.

Nicole Rouaix avait parlé au pédiatre et à ses collègues. Les avis différaient sur le cas Kevin Poissant. Les symptômes si divers s'éloignaient d'un schéma habituel. On aurait dit que toutes les données se mélangeaient sans logique. Quel mal étrange ramenait Kevin à l'hôpital ?

— Est-ce que je pourrai appeler mon ami Philippe tantôt ?

Nicole caressa la chevelure rousse de Maxime ; bien sûr, il pourrait le joindre tous les jours s'il le désirait.

— Maud avait les cheveux de la même couleur que les tiens quand elle était adolescente. Et ça l'embêtait, paraît-il.

— Ma mère aussi a les cheveux roux. Est-ce que Maud est un bon détective ?

Nicole acquiesça, consciente du trouble qui habitait Maxime. Il voulait que ses agresseurs soient punis, mais il n'aidait pas beaucoup la détective. Il espérait que ses seuls talents la mènent aux coupables.

— Elle est très douée. Elle fait équipe avec mon mari. Tu le savais ?

— Oui, fit Graham derrière eux. Je le lui ai dit. Salut, Maxime !

Elle déboutonnait son manteau, enlevait son foulard.

— Salut !

Il hésitait à aller vers elle, mais elle lui tendit un paquet en clignant de l'œil et la curiosité l'emporta.

— C'est pour toi.

Elle lui avait acheté un jeu électronique.

— J'ai pensé que tu t'ennuierais un peu ici.

— Je ne me souviens encore de rien, la prévint Maxime.

Qu'elle sache bien qu'elle ne l'achèterait pas avec un jouet. Même s'il lui faisait terriblement envie…

— Pas de problème, Maxime.

L'enfant déchira l'emballage, s'exclama en serrant le jouet contre son cœur. Graham soupira d'aise ; le marchand l'avait bien conseillée.

— Tu dois cependant te reposer, dit Nicole. Retourne te coucher. Tu joueras dans ton lit.

Mme Poissant se recoiffait devant le miroir quand Maxime se glissa entre les draps.

— On va bientôt servir le dîner, madame Poissant, l'avertit Nicole.

— Je vais faire manger Kevin, ne vous inquiétez pas.

— Mais non, je vous en prie, allez vous détendre un peu. Vous n'avez pas beaucoup dormi…

— C'est normal quand on est une mère.

— Allez, allez, vous reviendrez plus tard.

— Ça va, je suis en forme.

Denise Poissant souriait, mais le ton de sa voix était sans réplique. Elle voulait rester pour le repas.

— Peut-être tantôt, fit Nicole, conciliante.

Denise Poissant rangea sa brosse à cheveux dans son sac à main qu'elle referma d'un coup sec.

— J'espère que le Dr Mathieu sait ce qu'il fait. On devrait ôter l'appendice à Kevin.

— Je comprends votre angoisse, madame Poissant, mais le Dr Mathieu est un excellent pédiatre. Il a soigné mon fils pendant près de quinze ans, vous savez.

— Votre enfant n'a peut-être pas une santé aussi fragile que celle de mon fils.

— Quel âge a-t-il? s'informa Maud Graham pour détendre l'atmosphère.

— Deux ans et neuf mois.

— C'est un beau petit bonhomme, affirma Graham en s'approchant lentement du lit de Kevin.

Mme Poissant ne cessait de fixer Nicole qui prenait la température de Maxime. Pourquoi était-elle si méfiante envers les infirmières et les médecins? Avait-elle été victime d'une erreur médicale? Ou un de ses proches?

— Comment s'appelle ton lapin? demanda Maxime à Kevin.

— Rosie. Il an… es… ri et rottes.

— Il rit et il rote? répéta Graham.

— Non, la reprit Nicole, il mange du céleri et des carottes. C'est ça, mon chou? Rosie aime les carottes? Est-ce que Kevin aime les carottes?

— Il les digère difficilement, répondit sa mère. S'il y en a ce midi…

Tandis que Nicole rassurait Mme Poissant sur le menu, Graham racontait au petit garçon qu'elle avait un chat tout gris, Léo, qui était très gentil et qui avait de belles moustaches.

— Moi, j'ai déjà eu un chat noir, dit Maxime.

— Voulez-vous voir une photo de Léo? proposa Graham aux enfants.

Kevin se redressait dans son lit et Graham, fouillant dans son portefeuille, extirpait une vieille photo de son chat, la tendait à Maxime qui la montrait à Kevin.

Ce dernier s'écria: «Minou, minou, minou, veux un minou.»

Mme Poissant se glissa entre Maud Graham et Kevin sous prétexte de replacer la couverture. Elle chuchota à l'enfant qu'il ne pouvait avoir un animal parce qu'il était allergique à son poil. Puis elle se retourna vers Graham en lui rendant la photo.

— Il est très beau, dit-elle. J'ai déjà eu une chatte d'Espagne, à poils longs. Elle est morte écrasée.

— C'est dommage.

— Je ne voulais pas qu'elle sorte le soir, mais mon mari avait oublié de fermer la porte du chalet.

— Vous avez un chalet dans la région ?

— Pas loin du lac Clément. Mon mari est maniaque de ski. Il voulait mettre des skis à Kevin, cet hiver ! Un enfant de deux ans !

En terminant sa phrase, Denise Poissant posa une main protectrice sur son fils ; il n'irait pas sur les pentes avant qu'elle le décide.

— C'est un beau coin, vous pouvez profiter de la nature.

— Alain ne cherchait-il pas à louer un chalet pour janvier et février ? demanda Nicole.

— Oui, si vous voyez quelque chose dans la région, vous pourriez me faire signe ?

Maud Graham tendit sa carte à Denise Poissant. Celle-ci sourcilla en identifiant le sigle policier, puis elle lui rendit la carte.

— Je ne pourrai pas vous aider… Je ne vais plus au chalet depuis qu'on est séparés. Bernard n'y va pas non plus d'ailleurs. Il passe tous ses loisirs à Montréal. Quand il n'est pas en mission à l'étranger, bien sûr. Il est militaire.

— Gardez cependant ma carte, on ne sait jamais…

— J'ai une idée. Je pourrais proposer à Bernard de le louer à votre ami ? C'est un chalet qui appartient à sa famille, c'est très rustique, très calme. Personne n'y va jamais. Je vous téléphonerai. Et maintenant, pourriez-vous… ce n'est pas vraiment l'heure des visites… Même s'il doit y avoir des passe-droits pour les policiers.

— Je viens voir un vieil ami.

— Il serait content de t'entendre, commenta Nicole.

Denise Poissant s'était levée pour raccompagner Graham à la porte de la chambre. Nicole rejoignit la détective dans le corridor quelques minutes plus tard.

— Elle t'a proprement congédiée. Elle a de l'autorité, cette femme.

— Son fils doit sûrement lui obéir. Elle est vraiment très mère poule.

— Peut-être trop, murmura Nicole.

— Elle l'étoufferait ?

— Oublie ça, je dis n'importe quoi. Probablement que je me sens inutile. Elle fait tout ! Elle le lave, le soigne, le fait manger. Elle n'a pas besoin de nous. Je suis stupide de me plaindre. On a déjà assez d'ouvrage… Si on a une mère qui coopère, c'est tant mieux. Je dois être fatiguée.

— Ou contrariée par autre chose.

Nicole garda le silence quelques secondes avant d'approuver Graham ; Martin n'était toujours pas revenu voir son père. Il ne s'était présenté qu'au moment de son hospitalisation, mais ne l'avait pas visité depuis.

— Il prétend détester les hôpitaux. Belle excuse !

Graham, qui luttait contre son dégoût et sa peur quand elle entrait dans un hôpital, plaida la cause de Martin. Sans succès ; son comportement exaspérait Nicole.

— J'ai failli lui interdire de partir pour Montréal, mais ce ne sera pas mieux s'il reste à la maison. On finirait par se disputer. J'ai hâte que sa crise d'adolescence se termine. J'ai toujours regretté de n'avoir eu qu'un enfant, mais cette semaine je pense le contraire !

Un appel interrompit Nicole, et Maud Graham retourna vers la chambre de Kevin et Maxime pour saluer ce dernier. Elle passa seulement la tête dans l'embrasure de la porte pour ne pas mécontenter Mme Poissant. Celle-ci délaissa la lecture d'un énorme ouvrage médical pour dévisager Graham d'un air courroucé.

— Je repars immédiatement.

Elle embrassa le bout de ses doigts et fit un geste en direction de Maxime.

— Je reviendrai bientôt. Repose-toi.

— Merci, Maud, dit-il en tapotant son jeu électronique.

Il l'avait appelée Maud.

Il oublierait peut-être qu'elle était détective.

* * *

— Il ne répond toujours pas ?

Maud Graham secoua la tête. Grégoire lui avait laissé le numéro de téléphone de Pierre-Yves, chez qui il logeait provisoirement, mais il n'avait pas répondu une seule fois au téléphone.

— Il doit travailler, avança Alain Gagnon.

— Il aurait pu venir souper. Tu as fait de la blanquette pour six personnes. Il me semble qu'un bon repas chaud ne lui aurait pas déplu.

— Grégoire sait qu'il peut atterrir ici quand il veut. Tu ne peux pas faire plus pour lui.

— Je l'ai invité pour Noël, confessa-t-elle à Alain Gagnon.

Aurait-il préféré célébrer cette fête en toute intimité ? N'était-ce pas leur premier réveillon ? Souhaitait-il des cadeaux sous l'arbre, du champagne, des caresses, des étreintes, des baisers volés à minuit et avant ?

— Bonne idée ! Ce serait le comble qu'il traîne dans les rues ce soir-là ! Je lui ai acheté un cadeau.

Graham se blâma ; comment pouvait-elle douter d'un homme aussi délicat ?

— Qu'est-ce que tu as ? s'inquiéta-t-il.

Elle essuya ses paupières du revers de la main et s'approcha pour l'embrasser quand Alain ajouta qu'il avait choisi un beau foulard pour Grégoire.

— Un foulard ?

Elle éclata de rire, s'enquit de la couleur.

— Rouge et noir, pourquoi ?

— Celui que j'ai choisi chez Renfrew est noir et rouge…

Une chandelle crépita sur la table que Maud venait de dresser et elle regarda les verres et la vaisselle avec inquiétude. Qu'avait-elle oublié ?

— Le sel et le poivre.

— Je vais t'acheter un bon moulin pour Noël.

— Non. Léa va m'en donner un, j'en suis sûre. Elle peste chaque fois qu'elle vient ici.

— Ça va, ma belle ?

Elle aimait toujours, après des mois, qu'il l'appelle ma belle, même si elle ne croyait pas mériter cette marque d'affection.

Elle revint vers lui, portant un plateau garni de crudités et de noisettes grillées. Elle croqua deux ou trois avelines, puis sirota son dry martini en silence.

— Tu penses toujours à Grégoire ?

— Non, à Maxime.

Elle fit un portrait de l'enfant qui intrigua Alain Gagnon par la multitude de détails. Elle s'enflammait en décrivant Maxime, en rapportant toutes ses paroles, s'attardant à préciser la couleur de ses cheveux, de ses yeux, le nom de ses amis. Il devina combien renoncer à la maternité avait été difficile pour elle. Même si elle soutenait le contraire.

— On enquête pour trouver qui a pu tirer sur son père et lui, mais le choix est vaste. Desrosiers a trempé dans toutes sortes de combines. Pas de gros trucs, cependant…

— C'est donc qu'il a changé ses habitudes. On ne tue pas un type et son gamin pour cinq grammes de hasch. C'est tout ce qu'on a trouvé chez Desrosiers.

— Ils ont pu perdre les pédales.

— Tirer pour tirer ? C'est sûr qu'aujourd'hui on tue pour peu. J'en vois assez à Montréal.

Rue Fullum, à la morgue, on déclinait la mort de différentes manières — strangulation, balles, égorgement, étouffement, noyade — pour des motifs qui étonnaient encore le médecin légiste. Une querelle entre voisins finissait par un coup de couteau, un homme abandonné par sa femme mettait le feu à la maison, un match de hockey perdu avivait un sentiment de défaite, on buvait trop et on cassait tout, même la tête d'un copain. On se sentait frustré et on tirait sur n'importe qui. Par colère. Par défi. Par curiosité. Pour voir ce que «ça faisait».

Alain Gagnon préférait son métier à celui de Graham; s'il déterminait les causes de la mort, il n'avait pas à plonger dans la cervelle d'un assassin pour analyser les raisons qui l'avaient conduit à commettre son crime. Graham, elle, devait côtoyer les monstres pour les comprendre, s'imprégner de l'atmosphère des meurtres, se fondre dans des décors morbides, explorer la folie.

— Ils peuvent être allés chez Desrosiers pour lui donner une leçon, lui faire peur. Maxime a surgi. Ils ont paniqué. Les meurtres, c'est souvent tellement bête !

— Maxime ne veut rien te dire ? Rien ?

— Il attend d'avoir vu son père. C'est ce qui m'ennuie; il devine que son père est mêlé à une histoire pas trop catholique, mais il n'en sait sûrement pas davantage. Desrosiers devait me fournir un nom. Le silence de Maxime retarde l'enquête, mais je ne peux pas le forcer à parler. Juste prier pour que Bruno Desrosiers se réveille. Ce n'est peut-être pas le père le plus responsable, mais Maxime a beaucoup d'affection pour lui.

— Il te dira qui leur a tiré dessus ?

Graham haussa les épaules; Desrosiers ne lui servirait pas le nom des coupables sur un plateau d'argent. Toutefois, elle en avait interrogé de plus coriaces… Elle pourrait peut-être faire pression avec l'enfant.

Elle se reprit: elle ne souhaitait pas réellement utiliser Maxime.

— C'est la première fois que j'ai un vrai problème avec une source.

— C'est peut-être la première fois qu'une source a une vraie révélation à te faire…

Maud Graham croyait que Bruno Desrosiers allait lui dévoiler le nom du meurtrier de Me Girard. Elle avait misé sur Joss Wilson, mais aucune preuve n'étayait son intuition.

— Pourquoi pariais-tu sur Wilson ?

— Girard dérangeait des gens importants. Wilson est le beau-frère de Marcotte, qui a toujours été actif dans le trafic de drogue. Il continue même au pénitencier de Donnacona. Marcotte a été défendu par Girard. Qui a perdu. Ce type de vengeance est rare, mais on peut supposer que c'est un motif supplémentaire qui a incité Marcotte à faire descendre l'avocat par Wilson.

— Et pour Desrosiers ?

— Je dois trouver qui voulait plaire à Marcotte ou à Wilson. Leur rendre service. Ou avoir une bonne paye. Je vais en parler à Rouaix, demain matin.

— Et Trottier ?

— À Trottier aussi.

— Mais après…

Oui, après, au poste. Quand elle reviendrait de l'hôpital.

* * *

Maud Graham eut droit à un café infect quand elle rendit visite à son partenaire.

— Tu t'ennuies de moi pour venir si tôt ! commenta Rouaix quand elle poussa la porte de sa chambre.

— C'est à propos de Desrosiers.

Rouaix l'écouta sans l'interrompre.

— Ce n'est pas Wilson qui a tiré, fit Graham, on le sait. Desrosiers a été blessé à l'heure précise où Wilson rencontrait son agent de probation, s'assurant ainsi le meilleur des alibis. Belle coïncidence… On voulait vraiment que je sache que ce n'était pas celui que je suspectais qui est le coupable.

— Mais tu le soupçonnes du meurtre de l'avocat Girard.

— Bruno est un naïf, un imprudent. Il s'est amusé dans la cour des grands… Il doit avoir trop parlé… Il ne m'a pas dit textuellement que c'était Wilson qui avait descendu l'avocat, mais il m'a amenée à faire des recoupements. Et il devait tout me confirmer quand on est entré chez lui. Le ou plutôt les tueurs n'en sont pas à un premier meurtre.

Rouaix partageait l'impression de Graham. On ne tire pas si aisément sur un homme, encore moins sur un enfant, si on n'a pas une certaine habitude.

— Sauf si c'est une bavure.

— Oui, l'accident bête. La surprise, le gamin à la mauvaise place au mauvais moment. J'ai hâte que Maxime se décide à parler! Il aime dessiner. Il est observateur, il pourrait nous décrire les agresseurs.

— «Les»?

— Maxime s'est trahi dans son entêtement à affirmer qu'il ne se rappelle rien. Je ne suis pas sûre, mais...

Un préposé entra pour récupérer le plateau du petit déjeuner. Graham prit congé de Rouaix en tapotant sa montre : Trottier lui dirait qu'elle était encore en retard.

— Il aura raison.

Elle tira la langue à son partenaire avant de courir à l'autre aile pour saluer Maxime. Quelques minutes de plus ne changeraient rien aux commentaires de Trottier...

Maxime semblait las quand Graham pénétra dans la chambre. Il avoua à mi-voix qu'il avait mal dormi. Il avait rêvé à son père.

— Il ne mourra pas, hein?

Graham détestait ces questions terribles qui l'obligeaient à être franche.

— Je ne sais pas, Maxime. Les médecins disent qu'il s'accroche. Mais je ne suis pas médecin, justement. Est-ce que Nicole a parlé avec quelqu'un à l'Hôtel-Dieu ce matin?

— Elle arrive seulement dans dix minutes.

— On va l'attendre ensemble.

Maxime jeta un coup d'œil à l'horloge, expliqua à Graham qu'il avait habituellement terminé depuis longtemps sa livraison de journaux à cette heure, mais il doutait que son remplaçant soit aussi rapide que lui.

— Aujourd'hui, j'aurais peut-être été moins vite.

Il baissa la voix et Graham dut se pencher vers lui pour l'entendre murmurer que les pleurs de Kevin l'avaient réveillé à trois reprises.

— Je te le dis pendant que sa mère est aux toilettes.

— Denise Poissant est restée toute la nuit près de lui ?

— Elle n'a même pas dormi. Elle avait toujours les yeux ouverts quand je la regardais. Je n'aimais pas ça.

— Pourquoi ?

— Je ne sais pas. J'aurais voulu lui parler, mais qu'est-ce que je pouvais bien lui dire ? Elle doit s'inquiéter pour Kevin comme je m'inquiète pour mon père. Mais elle ne pleure jamais.

— Toi, tu pleures beaucoup ?

Il soupira, puis s'efforça de sourire en constatant que Kevin s'était redressé dans son lit. Ce dernier se mit à geindre quand son lapin rose glissa au sol. Graham le ramassa et l'épousseta avant de le lui rendre.

— Voilà ton lapin…

— Son nom, c'est Rosie, précisa Maxime.

— Elle est jolie ! Est-ce que ton amie mange des biscuits ?

Kevin serra le lapin contre lui en gloussant.

— Moi, reprit Graham, mon chat Léo est très gros et mange du gâteau. Aimes-tu les chats ?

Kevin hocha la tête.

— Miaou, miaou, approuva Graham. Rrrrronrrrrron… Les chats font aussi ronron quand ils sont heureux. Et que fait le chien ?

— Wouf, wouf, wouf…

Kevin se débarrassait de ses couvertures, s'apprêtant à sauter sur le lit.

— Que voulez-vous ? s'écria Denise Poissant derrière Maud Graham. Ah… c'est vous ? Ne l'excitez pas, il aura de la fièvre !

— On s'amusait juste un peu.

La moue crispée de Denise Poissant indiquait clairement sa désapprobation.

— J'étais venue voir Maxime, se justifia Maud Graham.

— Pauvre enfant, il n'a pas de mère pour s'occuper de lui. Dans quel milieu…

Graham eut une soudaine envie de rabrouer cette femme qui accompagnait son enfant à l'hôpital, certes, qui s'inquiétait de sa santé, mais qui manquait singulièrement d'empathie pour son entourage. Et même pour son propre fils. Elle avait une attitude protectrice envers lui, le couvait, mais elle manquait de chaleur. Elle lui souriait rarement, ne le taquinait jamais, le caressait peu. Elle lui donnait des soins avec beaucoup de sérieux, mais tenait plus du robot que de la madone.

Graham se contint et proposa à Maxime de la raccompagner jusqu'à la porte de l'aile de pédiatrie.

— Cette femme m'énerve, confessa Graham dès qu'ils s'éloignèrent.

— Elle s'occupe beaucoup de Kevin, dit Maxime. Même si elle ne lui chante jamais rien. Ah ! voilà Nicole !

Maxime courut vers elle.

— As-tu appelé pour mon père ?

Il n'y avait rien de nouveau. Bruno Desrosiers reposait dans un état stable, mais il n'avait pas repris conscience. Si le spectre de l'infection s'éloignait, on ne pouvait prévoir quand l'homme émergerait du coma.

— Ça va être long ? demanda bravement Maxime.

— Il a vécu un traumatisme très grave. La bonne nouvelle, c'est qu'il résiste de mieux en mieux à l'infection.

Maxime se contenta de cette réponse. Il retint le mot « mieux » et se persuada qu'il l'entendrait de plus en plus souvent.

— Je vous quitte, fit Graham.

— Tu reviendras me voir ?

Comment pourrait-elle lui résister ? Elle regardait la tête rousse de Maxime et se réconciliait avec la sienne, comprenait pour la première fois de sa vie qu'elle aurait aimé avoir un enfant à la chevelure flamboyante, qu'elle ne se détestait pas autant qu'elle l'imaginait.

Il fallait que Desrosiers s'en sorte !

Graham avait quitté le service de pédiatrie depuis une heure quand Denise Poissant l'imita. Elle habilla Kevin après que Nicole l'eut vu, ramassa ses affaires et sortit après avoir ordonné à Maxime de répéter un message aux infirmières ou aux médecins.

— Je dois partir tout de suite parce que le père de Kevin a été blessé en mission. C'est un militaire. Je viens de l'apprendre en téléphonant à mes beaux-parents. Tu te souviendras de ce message ?

Évidemment. Il n'avait pas deux ans !

Denise Poissant habilla Kevin avec brusquerie, sans un mot pour le réconforter malgré ses gémissements, s'impatientant quand son lapin rebondit sur le sol, et Maxime conclut que la blessure de son mari devait être très grave pour troubler ainsi la mère de Kevin. Il cherchait des paroles de réconfort à prononcer, fouillant dans sa propre expérience, mais Denise Poissant ouvrait déjà la porte de la chambre, serrant Kevin contre elle, disparaissant sans lui adresser un signe d'adieu.

Devait-il prévenir immédiatement Nicole ou Jeanne ? Elles étaient très occupées… Et elles ne pouvaient rien faire pour Mme Poissant et son pauvre mari. Avait-il reçu lui aussi des balles dans le ventre ?

* * *

Non. Bernard Rivet se portait comme un charme, même si son ex-femme aurait souhaité que son mensonge se réalise, que cet homme disparaisse dans la souffrance, qu'il sache enfin ce qu'est la douleur. Il l'écoutait si distraitement quand elle énumérait ses propres symptômes ; elle avait toutefois dû subir une intervention l'année de leur mariage. Il disait qu'elle était trop nerveuse, que le stress était responsable de sa fatigue chronique, de ses maux de ventre, de ses migraines. Il n'avait montré d'intérêt réel pour sa santé qu'au cours de ses grossesses. N'était-elle qu'un réceptacle qu'il convenait de protéger le temps de la gestation ?

Quand Jessica était née, il s'était étonné qu'un bébé soit si fragile. Denise lui avait dit cent fois que c'était normal et qu'elle maîtrisait parfaitement la situation, mais il semblait en douter. Ne l'avait-il pas entendue s'adresser aux pédiatres à maintes reprises ? Il avait bien vu qu'elle savait discourir avec eux des traitements appropriés pour leur fille, qu'elle était compétente !

Pourquoi avait-on retardé l'ablation de l'appendice de Kevin ?

Denise Poissant se gara devant chez elle et sortit de la voiture en observant les alentours, redoutant de voir surgir Bernard. Elle déposa le sac de voyage dans la maison avant de revenir chercher Kevin. Il courut vers le sapin de Noël dès que sa mère lui eut enlevé son habit de neige.

Elle nota les messages accumulés dans sa boîte vocale et raccrocha, satisfaite. On renouvelait le poste à temps partiel qu'elle avait occupé jusqu'en novembre. Elle devrait déposer Kevin dans une garderie le matin, mais elle le reprendrait dès midi, passerait le reste de la journée avec lui. Elle n'avait aucune envie de se séparer de lui, même quelques heures. Cependant, Bernard lui causerait des ennuis avec la pension alimentaire si elle refusait toutes les propositions de travail qui se présentaient. De plus, l'offre la flattait, montrait que ses compétences étaient reconnues. Qui mieux qu'elle saisissait tous les mécanismes du corps humain ?

Denise prépara un gratin de macaroni au jambon et déposa une portion fumante dans l'assiette de Kevin. Au moment où elle remettait le plat dans le four, elle entendit Kevin hurler : il avait voulu prendre les pâtes à pleines mains et s'était brûlé. Elle l'avait pourtant prévenu qu'il fallait attendre avant de manger.

Elle lava ses doigts rougis et tenta de lui faire avaler quelques bouchées. Kevin recrachait les aliments entre deux pleurs. Elle lui essuya le nez, l'extirpa de sa chaise haute et alla le coucher. Leur entrée dans la chambre de Kevin attira l'attention des tortues qui tendirent le cou, espérant que c'était l'heure du repas. Denise saupoudra des miettes de crevettes séchées en observant les mouvements des reptiles. Elle sourit.

Pourquoi n'y avait-elle pas songé plus tôt ?

N'avait-elle pas lu que les tortues pouvaient transmettre la bactérie de la salmonellose ?

Elle allait mêler l'eau du vivarium au chocolat au lait de Kevin. La solution croupie lui causerait assurément des maux de ventre et on accepterait enfin de l'opérer pour l'appendice. Elle retournerait ce soir à l'hôpital !

Elle opterait pour l'Hôtel-Dieu de Lévis. Il y avait plusieurs semaines qu'ils y étaient allés. Avec un peu de chance, elle trouverait là un médecin compréhensif qui répondrait à ses exigences et opérerait Kevin.

Kevin avala son chocolat sans enthousiasme, puis serra Rosie contre lui et se mit à fixer la veilleuse de sa chambre.

Denise lui apporta un verre de lait et des biscuits qu'il grignota en observant ses tortues se déplacer dans le vivarium offert par Bernard. Où était son papa ? Pourquoi ne le voyait-il pas plus souvent ?

Il fit de la fièvre au moment où Denise s'apprêtait à regarder le journal télévisé.

Denise se maquilla, se coiffa malgré l'heure tardive et choisit une robe bleu pâle. Quand elle la portait, on la confondait souvent avec une infirmière, car les sarraus avaient la même nuance pastel. Elle adorait ces méprises et résistait difficilement à la tentation de s'acheter l'uniforme qui lui aurait conféré davantage d'autorité. Elle s'était toutefois procuré un stéthoscope.

Elle rhabilla Kevin, verrouilla la maison et s'engouffra dans la voiture sans sentir le froid, pressée d'arriver à l'hôpital et de discuter avec l'urgentologue.

Elle ne remarqua pas tout de suite qu'elle était suivie. Ce n'est qu'au troisième arrêt qu'elle eut un doute. Elle emprunta des rues transversales, s'arrêta, repartit. Il la suivait toujours.

Depuis quand Bernard la guettait-il ? Quelles étaient ses intentions ? Pourquoi n'avait-il pas sonné chez eux ? Pourquoi ne l'avait-elle pas vu en rentrant ?

Elle hésita, puis s'arrêta en face d'un parc. Elle préférait qu'ils discutent ailleurs que dans le terrain de stationnement de l'hôpital, où des médecins et des infirmières pouvaient les entendre.

Elle n'attendit pas qu'il frappe à sa vitre. Elle coupa le contact, sortit de la voiture d'un pas décidé. Quoi qu'il exige, elle refuserait !

Il avança vers elle, bifurqua vers la gauche, vers Kevin, mais elle s'interposa.

— Tu n'as pas le droit !

— Je te verse une grosse pension, je veux le petit maintenant.

— Avant Noël ? Je pensais que tu voulais l'avoir avec toi à ton anniversaire. C'est ce que tu m'as dit ! Tu as changé tes plans ?

Bernard Rivet regardait cette femme sans comprendre comment elle pouvait être la mère de leur fils. Tout avait viré au cauchemar, elle était devenue sa pire ennemie et il devrait la supporter *ad vitam æternam* à cause du lien indissoluble qui les rivait l'un à l'autre.

Bien qu'il la trouvât très jolie, Bernard n'était pas follement amoureux de Denise quand il l'avait épousée, mais il ne croyait pas à la passion, davantage persuadé que des intérêts communs multipliaient les chances d'une bonne union. Ils aimaient le ski, la cuisine chinoise, les films de Steven Spielberg, les courses de chevaux, les Bee Gees, Harmonium, les soirées télé et la propreté. L'appartement que Denise occupait avant leur mariage était toujours impeccable. Elle ne laissait même pas de cheveux sur sa brosse après l'avoir utilisée.

Leurs goûts semblables n'avaient pas suffi.

— Est-ce que tu m'écoutes ? cria-t-elle.

— C'est toi qui vas m'écouter. C'est le dernier Noël que tu gâches. Tu ne veux pas changer ? Parfait, on ira en cour. On fera une vraie enquête, avec autant d'assistantes sociales qu'il faudra. J'ai été lâche avec toi. Voir si j'allais perdre mon emploi parce que Kevin s'était cassé un bras !

— C'est toi qui le lui as cassé !

— En tentant de le rattraper quand il tombait de la table !

— Tes explications n'avaient pas l'air de convaincre le médecin… L'assistante sociale ne serait pas venue enquêter chez nous s'il n'avait pas fait de rapport à la Protection de la jeunesse. Ils ont des cotes. La tienne devait être assez élevée pour qu'ils se déplacent… En plus, tu es parti de la maison.

— On se chicanait sans arrêt. Kevin paniquait !

— Tu changes d'idée plus souvent que tu changes de chemise et tu voudrais que je t'approuve ? Oublie-nous donc, Bernard, ça va être mieux pour tout le monde.

Bernard Rivet s'approcha de la voiture et tapota la vitre. Son fils resta sans réaction.

— Il a l'air malade… Qu'est-ce qu'il a encore ?

— Rien. Il doit réagir à un vaccin. Mais je dois m'en assurer.

Kevin se mit à pleurer.

— Tu vois, tu lui fais peur.

Tandis que Denise se rassoyait dans la voiture, Bernard hurla que c'était elle qui terrorisait leur enfant.

— Je ne renoncerai pas, Denise. J'ai avec moi une femme qui m'aide et qui est prête à aimer Kevin. On veut l'avoir, nous aussi.

Denise claqua la portière violemment. Elle tremblait de rage.

Sa colère devait être palpable, car l'infirmière au triage de l'urgence de l'Hôtel-Dieu de Lévis l'emmena voir immédiatement un médecin. Dès que le praticien posa les mains sur Kevin, elle se calma. Elle lissa ses cheveux pour les recoiffer tout en énumérant les symptômes qui l'avaient forcée à emmener son fils à l'urgence. Douleurs abdominales, fièvre, diarrhée. Elle ne comprenait pas ; Kevin avait très bien dîné.

— J'avais fait du macaroni au fromage, son plat préféré. Il s'est même brûlé en se précipitant pour attraper son plat. Vous savez comment sont les enfants, il suffit d'une minute d'inattention et hop, c'est l'accident. J'ai fait tremper ses doigts dans de l'eau froide, mais pourriez-vous aussi les examiner ? Est-ce que les problèmes d'appendice sont héréditaires ? Les deux sœurs de mon mari ont subi une appendicectomie, ainsi que ma mère. Kevin présente les mêmes signes que Liliane…

— On va voir ça, madame.

Quand une infirmière s'approcha avec un vêtement d'hôpital, Denise s'offrit pour déshabiller Kevin.

— Vous avez déjà tant à faire, laissez-moi vous aider. J'ai l'habitude. Mon fils est souvent malade.

— Pauvre chou, dit l'infirmière. La vie est injuste…

Chapitre 4

Léo hésitait à sortir. Il avait bien vu Kitkat, son ennemi juré, traverser la cour, mais la neige semblait si froide, si humide. Il détestait la morsure du gel sous ses coussinets.

— Tu te décides, mon minou ? Non ?

Le chat s'ébroua, recula, fit demi-tour. La cour était décidément peu invitante en hiver. Graham s'empara de son manteau, s'entortilla un foulard autour du cou en expliquant qu'elle ne pouvait pas, elle, demeurer au chaud à la maison. Elle chercha ses gants avant de se rappeler qu'elle les avait déposés dans la cuisine, puisqu'elle était rentrée la veille avec deux sacs d'épicerie. Elle avait essayé de cuire des crêpes et avait fini par tout jeter, furieuse. Puis elle s'était plongée dans le dossier de Bruno Desrosiers.

Elle voulait les noms de tous les individus qui l'avaient approché, de près ou de loin. Comment une source sans envergure avait-elle mis le doigt dans un engrenage fatidique ? Desrosiers ne lui avait jamais fourni que des informations secondaires. Elle l'avait toujours écouté, et payé, parce qu'elle ne négligeait rien, espérant entendre un jour un détail qui l'intéresserait réellement. Elle avait été surprise quand il lui avait chuchoté à l'oreille qu'il pourrait peut-être lui donner le nom du meurtrier de Me Girard. Il voulait seulement vérifier deux ou trois détails.

Il avait récolté deux balles, une en prime pour Maxime.

Maud Graham claqua la porte après un dernier au revoir à Léo qui s'était déjà rendormi sur le divan du salon.

La différence entre cet univers douillet et l'activité qui régnait au CHUL frappa la détective. Elle avait l'impression de pénétrer au cœur d'une ruche où les abeilles en blanc et en bleu volaient d'un lit à l'autre sans jamais s'arrêter, où il n'y avait pas de reine, que des sujets qui luttaient contre la douleur, contre le temps.

Graham avait dit un jour à Nicole qu'il faudrait que les ministres et les députés passent une semaine sur une civière, à l'urgence, en jaquette, souffrant devant les visiteurs, sans aucune intimité, pour que les choses changent.

Nicole avait haussé les épaules ; ça n'arriverait jamais.

Des rires et des cris de joie égayaient l'aile de pédiatrie où Graham voulait s'arrêter avant d'aller discuter avec Rouaix. Des joueurs de hockey étaient venus distribuer des palets et des bâtons signés aux petits malades. La bonne humeur était contagieuse. Des enfants qui n'avaient jamais chaussé de patins s'exclamaient en tâtant les rondelles noires, et plus d'un glissait le porte-bonheur sous son oreiller.

— Maud, j'ai eu un bâton ! Il me l'a signé !

Graham ne put déchiffrer l'autographe illisible, mais elle partagea la gaieté de Maxime.

— Tu joues au hockey ?

— Avec mes amis, à la patinoire du parc.

Il s'enthousiasmait, oubliait qu'il ne pourrait jouer de sitôt. Maxime, qu'elle avait d'abord comparé à Grégoire à cause de l'effet qu'il produisait sur elle, lui paraissait maintenant bien différent. Il était lumineux, confiant, optimiste.

Grégoire lui ressemblait peut-être au même âge, avant que l'oncle Bob abuse de lui.

— Eh ? À quoi tu penses ?

— À mon enquête. Je n'avance pas.

Maxime baissa la tête.

— Mon père va aller mieux. En parlant ensemble, je suis sûr que des souvenirs vont nous revenir. Nicole a appelé à l'Hôtel-Dieu. Ils n'ont plus peur de l'infection. Plus du tout ! Je vais pouvoir le voir et lui montrer le tour de magie que Grimace m'a enseigné tantôt.

— Grimace ?

— C'est un clown. Il venait voir un autre malade, mais il a fait des tours dans quelques chambres. C'est dans la mienne qu'il est resté le plus longtemps.

Pourquoi ? Graham sentit son pouls s'accélérer. Cet homme était-il vraiment clown ? S'était-il approché de Maxime innocemment ou tentait-il d'apprendre ce que l'enfant savait ?

— Il t'a posé des questions ?

— Je ne me souvenais de rien pour lui non plus, affirma Maxime. Il a dit que ça arrivait souvent après un gros choc. On perdait la mémoire.

— Elle revient dans la plupart des cas.

Une gamine se précipita contre Maxime, l'enserrant de ses petits bras.

— Tu as un fan-club, ici !

Maxime sourit en prenant la main d'Élodie. Elle l'entraînait avec beaucoup de fermeté vers la salle de jeux et il se pliait docilement à cette jolie tyrannie.

Graham aurait voulu discuter de la visite du clown avec Nicole, mais celle-ci avait à peine eu le temps de la saluer en sortant d'une chambre. Elle reviendrait après avoir rencontré Rouaix.

Celui-ci dormait si paisiblement que Graham renonça à l'éveiller, remettant sa visite à la fin de la journée. Elle travaillait avec Trottier, mais ne se priverait jamais de l'acuité d'André Rouaix. Et elle faisait une bonne action. L'enquête requinquait son partenaire.

* * *

Le ciel était d'un bleu trop pur pour être clément quand Graham quitta l'hôpital. La température avait chuté d'au moins cinq degrés et l'asphalte était plus sec, plus dur, compact. Les arbres qui jalonnaient le boulevard Laurier étaient fichés dans un sinistre garde-à-vous qui désolait les oiseaux. Ils fuyaient vers les plaines d'Abraham, préférant le moelleux d'une branche de sapin, le rideau satiné des épinettes. La neige agrandissait le parc des Champs-de-Bataille, qui s'étendait, s'étirait, franchissait les grilles noires qui le ceinturaient. Au loin, le musée semblait blotti sur lui-même, endormi pour l'après-midi. Il sortirait de sa torpeur quand les lumières de Noël s'allumeraient.

Graham n'avait pas encore acheté son sapin. Quand aurait-elle eu le loisir de le décorer ? Et si elle confiait l'entière préparation du réveillon à Grégoire et s'occupait de l'arbre tandis qu'il s'affairerait à la cuisine ? Elle ne lui serait, de toute manière, d'aucune utilité. Il dresserait la liste des courses, elle remplirait cette tâche, puis le laisserait se débrouiller avec le canard et les pétoncles. Plus son invitation à réveillonner ressemblerait à un service à lui rendre et plus ses chances de convaincre Grégoire de participer à la fête augmenteraient.

Avait-il une recette de marquise au chocolat ? Alain adorait ce dessert... Elle n'avait jamais rencontré un homme qui aime à ce point les gourmandises sucrées. Chaque fin de semaine, il rapportait des caramels, des dragées et des pâtes de fruits de la confiserie de Louise Décarie et s'en délectait avec un plaisir manifeste. Au restaurant, il s'intéressait en premier lieu aux desserts, négligeant parfois l'entrée pour se garder assez d'appétit pour une crème brûlée ou une tarte Tatin.

Trottier aussi adorait les friandises. Il mangeait son deuxième pain au chocolat quand Graham le rejoignit avec son café.

— On a reçu pas mal de documentation sur Wilson. Il était à Donnacona avec Marcotte. Des grands chums...

— Je sais. Ils sont même beaux-frères. Ah ! Marcotte, ce cher Marcotte...

Tous les policiers savaient que Marcotte avait plus d'une mort sur la conscience, mais il était extrêmement rusé. Et puissant. Il continuait de diriger ses hommes de l'intérieur des murs.

— Marcotte aurait fait descendre Girard ? Par Wilson ?

— Examine les dates...

Joss Wilson venait de recouvrer une liberté provisoire quand Me Girard avait été abattu.

— Il aurait pris un maudit risque, avec un officier de probation sur le dos. Qui peut surgir à n'importe quel moment.

— N'oublie pas que Wilson est un *gambler*. Il aime le jeu. C'est pour ça qu'il a toujours des dettes envers quelqu'un.

— Il devait en avoir une grosse envers Marcotte, avança Graham.

— Il a peut-être tué Girard, mais il n'a pas touché à ton Desrosiers.

— Je sais. Si Desrosiers pouvait se réveiller !

— C'est long, son maudit coma, maugréa Trottier.

— Je vais aller à l'Hôtel-Dieu tantôt.

— J'irai avec toi. Il faut que je retourne voir Mme Boucher.

— Elle est toujours à l'hôpital ? Pauvre femme…

À soixante-seize ans, les os sont fragiles. Le voleur était entré chez Mme Boucher et l'avait frappée afin qu'elle lui révèle où elle cachait ses bijoux, puis il s'était enfui après avoir coupé les fils du téléphone. La vieille dame serait morte si une voisine n'avait eu besoin de lui emprunter une tasse de lait pour réussir sa crème anglaise. Un ambulancier avait dit à Trottier que Mme Boucher ne pesait pas plus qu'un enfant de dix ans. Seule la solidité de son cœur expliquait qu'elle n'ait pas succombé à l'agression. Elle était la troisième victime en deux mois dans la région de Charlesbourg et d'Orsainville.

— Je vais l'attraper, le salaud ! Jasmin était comme fou quand on a trouvé Mme Boucher. Elle a mené une petite vie bien tranquille pendant soixante-seize ans, travaillé, élevé ses enfants avec de bons principes. Elle doit faire du gâteau renversé à l'ananas comme ma mère le dimanche soir. Et bang ! un chien sale s'arrête dans sa rue et ruine son existence. Elle va vivre avec la peur au ventre. Elle a déjà parlé de vendre sa maison. Ça m'écœure. Si Jasmin et moi, on met la main dessus…

— Il va mieux ?

— Un peu. La grippe n'a jamais été aussi mauvaise. Beauchemin, Berthier, Jasmin… Je touche du bois.

Plusieurs policiers étaient absents ou se mouchaient, toussaient, répondaient avec des voix éraillées. Graham les saluait de loin ; elle ne voulait pas qu'une grippe la clouât au lit le soir du réveillon. Elle pensa à Rouaix, prisonnier de son plâtre. À Bruno Desrosiers, alité pour des semaines. Son propre égoïsme la contraria. Elle détestait ces instants où ses défauts lui apparaissaient aussi nettement.

Bruno Desrosiers… Trente degrés à l'ombre, cet après-midi-là, devant la gare d'autobus. Elle attendait un colis de Montréal. Un homme et une femme s'étaient disputés sur un quai. L'homme avait sorti un couteau à cran d'arrêt. Graham s'était ruée sur lui en criant : « Police ! » L'homme avait déguerpi. La femme avait refusé de porter plainte, expliqué que son mari était un peu nerveux parce qu'il venait de perdre son emploi. Graham n'avait pas insisté pour qu'elle dénonce cette violence comme elle le faisait au début de sa carrière. Elle s'entêtait alors à convaincre des victimes terrifiées, mais ne réussissait souvent qu'à les culpabiliser. Elle leur donnait maintenant son numéro de téléphone, celui d'un centre pour femmes en difficulté et les avertissait que leur conjoint allait les battre de nouveau. Les femmes savaient qu'elle avait raison, mais la terreur les rendait sourdes. Elles voulaient croire qu'il ne s'agissait que d'un cauchemar.

Bruno Desrosiers l'avait suivie après qu'elle eut récupéré son colis et l'avait abordée en lui demandant du feu.

— J'ai arrêté de fumer, avait-elle répondu.

— Bravo.

— Non, c'est la vingt-troisième fois.

— C'est peut-être la bonne. Vous êtes vraiment policière ?

Il détaillait sa chemise blanche et sa jupe en jeans.

— Les détectives sont en civil.

Elle n'avait aucune envie de parler avec Bruno Desrosiers, mais elle représentait l'autorité publique. Elle s'était forcée à sourire.

— Vous enquêtez sur quoi ?

Les crimes contre la personne : viol, agression, meurtre, vol qualifié.

— La dope ?

Ça l'intéressait quand il y avait un lien avec ses enquêtes. Elle espérait que Bruno Desrosiers la laisse monter gentiment dans sa voiture ; il continuait à la questionner. Si bien qu'elle avait fini par l'interroger : voulait-il faire carrière dans la police ?

— Pas directement. Mais donnez-moi votre carte.

Elle n'avait pas insisté. Elle avait chaud et voulait retrouver au plus vite son bureau climatisé. Elle avait tendu sa carte à l'inconnu.

Bruno Desrosiers l'avait appelée deux mois plus tard. Il jouait — parce qu'il était musicien — dans un club où il avait entendu mentionner un vol dans une pharmacie. Avait-elle envie d'en savoir plus ?

Elle avait failli répondre qu'elle ne s'occupait pas de cette affaire, puis elle avait accepté de le rencontrer dans le bar où il grattait sa guitare. Desrosiers lui avait révélé le nom du junkie qui avait cassé la vitrine de la pharmacie pour se procurer une dose. Graham avait cru qu'il vendait le junkie parce que celui-ci empiétait sur son territoire, mais elle avait compris plus tard que Desrosiers espérait que sa collaboration le protège si jamais il était arrêté pour un délit semblable. Graham ne lui avait rien promis, mais Desrosiers avait continué à lui téléphoner. Et elle avait continué à le voir même s'il l'exaspérait. Son allure juvénile, son veston de cuir, ses cheveux mi-longs trompaient les gens ; personne n'aurait parié sur ses trente ans. Et son portrait psychique était calqué sur son physique : immature, inconscient, irresponsable, avec des vues à très court terme. Il n'envisageait jamais les conséquences de ses actes. Ce comportement, normal pour un adolescent, gênait Graham sans qu'elle renonce toutefois à rencontrer Desrosiers. Il l'amusait malgré tout avec les récits de ses tournées merdiques dans toute la province. Et dans l'Ouest canadien.

— Fallait être fou pour aller chanter en français à Edmonton ! Ils ne comprenaient rien. Ici non plus, d'ailleurs…

Les contrats étaient rares et Desrosiers vendait du hasch pour arrondir ses fins de mois. Il faisait un peu de rénovation quand son père, menuisier, l'engageait pour le seconder. Celui-ci était mort en février, mais Desrosiers avait trouvé du travail sur un chantier à Val-Bélair au début de l'été. Graham l'avait moins vu et s'en réjouissait. Et s'il s'était décidé à changer de vie ?

Il avait rappelé Graham en août, avait évoqué une affaire à laquelle étaient mêlés des motards. Il avait lâché un nom après avoir posé des conditions. Puis il avait disparu. Elle s'était inquiétée. Inutilement ; il avait passé le mois aux îles de la Madeleine avec son fils. À son retour, il avait mentionné un nouvel arrivage de drogue. Elle avait refilé le tuyau à Jasmin.

Desrosiers avait ensuite promis de lui révéler le nom d'un vendeur qui s'était pointé au chalet du juge Plante en son absence.

Et vlan, deux balles dans le buffet.

Il fallait que Desrosiers se réveille !

Maud Graham lisait le compte rendu d'un procès où elle avait témoigné, quand Moreau se pencha au-dessus de son épaule et parcourut l'article, tandis qu'elle retenait sa respiration.

— On ne parle pas de toi dans *Le Soleil*, tu dois être déçue…

Elle se dégagea, plia le journal et le lui tendit.

— Tu pourras lire le sport en paix. À moins qu'il n'y ait pas assez de photos pour toi ? Il n'y a pas de filles toutes nues non plus…

Graham faisait allusion à la photo d'une pin-up en déshabillé à volants que Moreau avait épinglée sur le babillard de son bureau. L'image était minuscule et Graham savait parfaitement que Moreau l'avait choisie pour lui déplaire. C'était réussi. Le sourire niais de la fille l'énervait chaque fois qu'elle frôlait le pupitre de Roger Moreau.

Comment Berthier pouvait-il le supporter ? Il demeurait calme en toutes circonstances, imperméable aux blagues idiotes de son partenaire, s'animant seulement quand il était question de son voilier. Ce bijou qu'il bichonnait avec tant de passion que sa femme l'avait quitté. Sans que ça l'ennuie vraiment. Hormis le fait de devoir lui verser une pension alimentaire : il avait besoin de cet argent pour entretenir *Le Condor*. Moreau le soutenait quand il se plaignait de la gourmandise de son ex ; lui aussi était divorcé. Et il aimait assez naviguer, sans posséder son propre voilier. Cet unique point commun devait suffire à réunir les deux hommes.

Devant eux, Graham n'aurait jamais avoué qu'elle adorait la mer.

Elle regarda Moreau s'éloigner avant de relire le dossier de Desrosiers. Quel détail avait pu lui échapper ?

La journée s'écoula sans qu'elle ait éprouvé ce frémissement si particulier qui l'envahissait quand elle décelait une anomalie ou flairait un indice. À seize heures, elle glissa le dossier de Desrosiers dans sa serviette, prit son manteau, son foulard et partit pour l'Hôtel-Dieu.

L'étage où reposait Desrosiers était calme et Graham put s'entretenir quelques minutes avec un médecin.

— Il a repris conscience, il y a une heure et demie…

— J'avais demandé qu'on me prévienne ! Qu'est-ce que vous attendiez ?

— Il s'est rendormi aussi vite. Il était extrêmement confus. Il ignore qui il est.

Graham déglutit. Et s'il avait perdu définitivement la mémoire ?

— Non, je ne crois pas, fit le médecin, rassurant. Il a subi un choc terrible et on a dû lui administrer tellement de médicaments que sa confusion est normale. Elle se dissipera…

— Dans combien de temps ?

Le médecin haussa les épaules. Comment établir un pronostic ?

— Je veux lui amener son fils après-demain. Il faut qu'il le reconnaisse !

Elle s'approcha de Bruno Desrosiers, lui toucha la main. Croyait-elle vraiment qu'il réagirait ? Il respirait régulièrement, indifférent à sa présence. Elle pourrait au moins jurer à Maxime que son père avait repris des couleurs. Ses lèvres roses indiquaient un retour à la vie.

Elle distribua sa carte à toutes les infirmières et préposés de l'aile avant de partir : on devait l'appeler dès que Desrosiers ouvrirait un œil. Quelle que soit l'heure du jour ou de la nuit.

Elle n'avait pas mentionné le clown à Trottier, mais elle ne l'avait pas oublié. Elle fila sur le boulevard Laurier jusqu'au CHUL. Nicole pourrait peut-être lui parler de cet homme. Elle se heurta à Martin Rouaix en poussant la porte de l'entrée principale. Il se troubla quand elle s'informa de son père. Y avait-il des complications pour que Martin se décide enfin à le visiter ?

Il secoua la tête avant de répondre qu'André Rouaix dormait quand il l'avait vu et qu'il n'avait pas osé le réveiller.

— Il avait bien besoin de se reposer, dit Graham. Il dormait aussi quand j'y suis allée ce matin.

Martin la salua, pointant du doigt l'arrêt du 11, tapotant sa montre pour justifier son départ.

— Faut que je l'attrape !

Dans l'ascenseur, la détective souhaitait que Rouaix soit éveillé. Il avait déjà arrêté Marcotte. Il pourrait peaufiner le profil de ce criminel, lui fournir des détails.

Nicole était auprès de son mari et grignotait des biscuits.

— J'ai fini ton saucisson, alors on doit se contenter des biscuits, dit Rouaix. Je vais grossir si je reste ici…

— Je te ferai maigrir en rentrant chez nous, l'avertit Nicole.

— Je suis contente que tu sois debout, fit Graham.

— Debout ?

— Façon de parler. Martin vient de me prévenir que tu dormais et…

— Martin ? s'exclama Nicole. Ici ?

André Rouaix ne l'avait pas vu. Pourtant, il avait passé tout l'après-midi à lire, entre deux visites.

— Beauchemin est venu. Et même Fecteau ! Je ne sais pas ce que Martin…

Voilà qui expliquait le malaise manifeste de l'adolescent. Il s'était rendu à l'hôpital sans dépasser le seuil de la porte.

— On prétend que c'est l'intention qui compte, soupira Rouaix.

Nicole protesta. Comment avaient-ils élevé leur fils pour qu'il agisse ainsi ?

— Il a peur, avança Graham.

— Pas de causer du chagrin à son père, en tout cas! Ça ne l'aurait pas tué de monter jusqu'ici! On ne le force quand même pas à assister à une opération à cœur ouvert ou à une autopsie!

— Arrête, Nicole, fit Rouaix. Il n'aime pas les hôpitaux, c'est tout. Il ressemble à mon père. Il y a des gens qui détestent le poste de police, qui tremblent en nous voyant, même s'ils n'ont jamais volé une épingle, qui bégaient quand ils se présentent aux douanes. Martin, lui, c'est l'hôpital qui le…

— Il faudra bien qu'il domine sa peur. Que ferait-il s'il était malade? Il faudrait qu'il vienne ici! Je ne peux pas m'empêcher de le comparer à Maxime. Un gamin qui a reçu une balle dans l'épaule et qui se distrait en amusant les autres malades…

— Et ce clown qui lui a montré des tours de magie, il t'en a parlé?

— Le clown Grimace? Tu sais, rappela Nicole, c'est bientôt Noël. Il y a beaucoup d'animations pour les enfants, à l'hôpital.

— Un clown… murmura Graham.

— Pourquoi pas un magicien? souffla Rouaix.

Il se remémorait, comme Graham, les ruses d'un certain pédophile pour approcher ses proies.

— Ce clown, d'où vient-il?

— Je crois qu'il fait partie d'une troupe qui est venue ici quelques fois.

Nicole croqua un dernier biscuit avant d'effleurer d'un baiser le front de son époux.

— Je vous laisse en paix.

— J'irai te voir tantôt, dit Graham.

— Ne fais pas semblant de venir dans mon aile pour moi, plaisanta Nicole. C'est Maxime qui t'intéresse!

— Tu as raison, admit Graham. Il me fascine. Son optimisme me fait honte. Je râle tout le temps et je n'ai pas de réelles raisons de me plaindre, alors que lui… J'ai hâte que Desrosiers se réveille pour de bon, mais il a seulement repris conscience quelques minutes.

Elle marqua une pause, avant de livrer le fond de sa pensée :

Desrosiers avait vu trop gros. Il s'était cru capable, à tort, de jouer dans les grandes ligues.

— On ne tourne pas autour des bandes de motards en toute impunité. Desrosiers est un gamin qui rêve. C'est ce qui fait son charme, j'imagine. Il a une manière de vous présenter les choses qui est toujours plus agréable que la réalité. Maxime m'a confié que son père lui inventait des histoires quand il se couchait. C'est pour cette raison qu'il dessine ; il voudrait illustrer les récits de Desrosiers.

— Il veut également être saxophoniste, ajouta Nicole. Et astronaute.

— Martin aussi souhaitait explorer les galaxies, tu te souviens ? Les reportages sur les navettes spatiales le passionnaient.

— Maintenant, ce ne sont que les voyages dans Internet qui l'intéressent.

L'amertume inquiète de Nicole peinait Graham. Elle aurait aimé lui dire que Martin allait rapidement trouver sa voie, finir son cégep en beauté, mais Nicole ne l'aurait pas crue.

— Il a un bon fond, ne vous tracassez pas trop.

Dès que Nicole eut refermé la porte de la chambre, Graham demanda à Rouaix de s'informer sur le clown qui avait circulé dans l'aile de pédiatrie.

— Penses-tu qu'on cherche Maxime ?

— C'est le seul témoin.

— Tu es paranoïaque. C'est Noël, il y a plus de bénévoles et de visiteurs pour distraire les enfants.

— Renseigne-toi quand même.

Elle sortit des dossiers, les étala sur le lit avant d'en indiquer trois à Rouaix.

— J'aimerais que tu les lises. Le nom de Marcotte y apparaît.

— Il a été mêlé à tellement de combines…

— Qui l'a défendu, il y a huit ans ?

Rouaix hocha la tête. Me Girard avait assuré la défense du criminel. Et avait perdu. Marcotte aurait-il voulu se venger après tant de temps ?

— Il faut en savoir plus sur le Marcotte d'aujourd'hui.

— Sa femme est la sœur de Wilson, en tout cas.

Ils discutèrent durant un long moment et Graham se félicita d'avoir confié les dossiers à son partenaire. Ses yeux se plissaient de curiosité et il avait hâte qu'elle parte pour se plonger dans la lecture des documents. Il la salua distraitement quand elle atteignit la porte de la pièce, déjà perdu dans une mer d'hypothèses.

* * *

Maxime annonça à Graham que Kevin était revenu au CHUL.

— Il n'est pas dans ma chambre. Avec moi, il y a une fille qui ne parle pas beaucoup à cause de sa gorge. Nicole a dit que je pourrai voir Kevin tantôt.

— On ira ensemble.

Elle posa une main sur l'épaule valide de Maxime et lui apprit qu'elle avait vu son père.

— Il dormait, mais le médecin m'a dit qu'il avait repris conscience quelques secondes. C'est un beau progrès.

— Il a parlé de moi ?

— Non, non, il est encore trop perdu.

— Perdu ?

— Comme au réveil, tu sais, quand on a fait un rêve et qu'on ne comprend pas trop où on est. Il doit ressentir la même chose après un si long sommeil. Les infirmières et les médecins m'ont tous promis qu'ils m'appelleraient, même en pleine nuit, si ton père se réveillait et te réclamait. Tu pourras le voir bientôt… Allons saluer Kevin, pour l'instant. Il sera content de savoir que tu es toujours ici. Ça le rassurera.

— Il est de l'autre côté du couloir.

Denise Poissant parut surprise de revoir Maud Graham et Maxime, mais ne réagit pas assez vite pour empêcher ce dernier de s'approcher de son fils.

— Salut, Kevin! Alors? Tu es encore malade? Tu vois, je suis resté ici pour t'attendre…

Kevin sourit faiblement à Maxime tandis que Graham s'enquérait de son état. Mme Poissant se lança dans une explication complexe qui impressionna la détective.

— Vous êtes vraiment très au courant, madame Poissant. Vous retenez tous les termes des maladies… Vous auriez pu être médecin!

L'expression étrange de Denise Poissant intrigua Graham. On aurait dit qu'elle était aussi flattée que contrariée par cette remarque.

— Moi, je n'aurais jamais choisi de travailler dans un hôpital, poursuivit Graham, j'ai trop peur des maladies.

— Si on réussit à les circonscrire, il n'y a pas de raison de…

— Vous êtes bien courageuse. J'espère que votre Kevin n'attrapera pas tous les microbes qui traînent ici!

— Vous savez, les petits enfants sont fragiles.

— Il est si mignon, fit Graham en s'avançant vers Kevin.

Elle se pencha pour être à sa hauteur et s'adressa au lapin en peluche après avoir salué Kevin. Elle s'informa de la santé de Rosie; elle aussi était malade. Et elle détestait les piqûres. Graham flatta le lapin et le bras de Kevin; ils étaient bien braves tous les deux. Elle se sentait totalement impuissante et quitta la chambre en adressant un sourire confus à Denise Poissant.

Elle ne put lire le soulagement sur le visage de celle-ci ni sa satisfaction. Elle avait eu peur que Graham s'incruste, mais la détective ne mentait pas en disant qu'elle était mal à l'aise dans un hôpital; ce ne serait pas elle qui lui poserait des questions embêtantes. Et comme Kevin était seul dans sa chambre, cette fois-ci, elle n'avait pas à craindre l'arrivée inopinée d'une mère, d'un père, d'un parent qui s'installerait aussi pour passer la nuit avec son enfant. Elle était seule avec Kevin et pouvait continuer ses traitements. Elle avait eu des résultats assez intéressants avec l'eau croupie des tortues. Les maux de ventre et la diarrhée avaient inquiété les médecins de Lévis et ils avaient découvert des signes d'infection dans les analyses sanguines, des bactéries dans les selles qui les avaient intrigués. Denise les avait écoutés émettre diverses hypothèses en jubilant intérieurement; elle seule détenait la vérité. Elle avait toutefois été déçue qu'on ne prescrive que des antibiotiques à Kevin. Elle souhaitait toujours une belle opération... Mais c'était mieux que rien.

Elle mettrait le fauteuil devant la porte de la chambre pour être certaine de ne pas être dérangée quand elle s'occuperait de son fils. Elle détestait les intrusions, les surprises, tout ce qu'elle n'avait pu décider. Tout ce qui échappait à son pouvoir.

Elle se posta devant la fenêtre sans voir le paysage, attentive aux mille bruits de l'hôpital, goûtant le chuchotement de caoutchouc des fauteuils roulants, les grincements des civières ou des barreaux de lit qu'on ajuste, les pas précipités des infirmières, les voix autoritaires ou tendues des médecins. Elle crut entendre celles du Dr Duchesne et du Dr Mathieu. Lequel lui rendrait visite? À qui raconterait-elle sa passionnante histoire? Elle avait prévu un scénario autour d'une maladie urinaire. Le sujet l'intéressait depuis longtemps. Et ça ferait changement des vomissements. Elle avait bien mis au point son récit; on ne pourrait que la croire. Elle avait hâte d'en fournir les détails et d'observer les réactions du praticien.

* * *

Graham traversa le boulevard Laurier sans déplacer sa voiture. Il serait difficile de se garer au centre commercial; elle retournerait vers le stationnement du CHUL quand elle aurait complété ses achats de Noël. Les cantiques se mêlaient aux chansons populaires; Bing Crosby rivalisait avec Ginette Reno selon les boutiques où Graham s'arrêtait. Cette joyeuse cacophonie aurait dû la dérider, mais le visage tourmenté de Kevin la hantait. Elle ne s'apaisa qu'en découvrant un chat en peluche gris et blanc avec des yeux de verre d'un émeraude soutenu. Il devrait plaire au petit garçon. Elle traîna ensuite dans la boutique à la recherche d'un cadeau pour Maxime, mais rien ne l'attirait. Elle faillit téléphoner à Léa pour quêter un conseil, puis songea à Ricardo : le cordonnier pourrait-il la renseigner sur Maxime ?

La boutique de Ricardo Martines était située près de la bibliothèque Gabrielle-Roy. Ricardo écouta Maud Graham avec un calme apparent, mais ses larges mains marquées par des années d'artisanat bougeaient sans cesse. Il finit par marmonner, en empoignant son marteau, qu'il serait heureux d'enfoncer quelques clous dans la tête du salaud qui avait tiré sur Maxime.

— J'irai le voir demain dès son réveil ! Je vais lui apporter ses bottes.

M. Martines suggéra à Maud Graham d'aller chercher le Selmer de Maxime. Rien ne saurait autant lui plaire que de retrouver son saxophone.

— Il écoute beaucoup de jazz. C'est comme ça qu'on est devenus amis.

La boutique de Ricardo Martines était décorée de photos de Coltrane, Miles Davis, Armstrong, Fitzgerald, Nat King Cole. Graham se promit d'y emmener Alain.

Maud Graham se rendit à l'appartement de la rue Mgr-Gauvreau, récupéra le saxophone de Maxime et rentra chez elle, satisfaite. Elle déposait l'instrument sur le canapé du salon quand Alain lui téléphona. Elle lui raconta sa journée, d'une voix presque enjouée. En raccrochant, elle appela Grégoire pour l'interroger sur ses intentions quant au réveillon ; pouvait-elle compter sur lui ?

— C'est du chantage, Biscuit. Penses-tu que tu fais pitié ?

— Je fais seulement ce que je peux. Je passe mon temps à l'hôpital entre Rouaix et le petit Maxime. Plus le bureau. Je vais tout rater si je cuisine à la dernière minute. Dis oui, Grégoire. On pourrait souper ensemble maintenant. On s'occuperait des courses pour le réveillon.

— On est mieux de les faire avant. On va attendre partout !

Il retrouva Graham rue Cartier vingt minutes plus tard.

Chapitre 5

Denise Poissant regrettait de ne pas avoir ses règles ce matin-là. Elle avait dû s'entailler l'index afin d'ajouter quelques gouttes de sang dans la bassine où avait uriné son fils durant la nuit.

Nicole parut désemparée quand Denise Poissant lui montra le contenu de la bassine. On ferait immédiatement une analyse des urines pour comprendre la nature de ce symptôme surprenant, qui n'avait aucun lien direct avec les convulsions qui avaient ramené Kevin au CHUL la veille.

— Un vrai mystère, rapporta Nicole à sa collègue Jeanne. De quoi peut bien souffrir ce petit ? Le Dr Mathieu va en perdre son latin… Kevin a tout eu : vomissements, diarrhées, maux de ventre, convulsions, et maintenant du sang dans ses urines. C'est très troublant.

— Il est chétif pour son âge, non ?

— Et si Denise Poissant le soumettait à un régime spécial ? Elle est plutôt mince. Bâtie, mais pas une once de graisse. Elle nuit peut-être à son enfant en l'alimentant bizarrement. On a vu des cas d'anorexie induite…

Nicole replaça une mèche de cheveux derrière son oreille. Heureusement, les nouvelles étaient meilleures pour Maxime. Son père avait repris conscience et avait mentionné son nom. Maud avait aussitôt promis d'emmener Maxime à l'Hôtel-Dieu de Québec.

— Essaie d'y aller tôt, avait suggéré l'infirmière. Les malades ont moins d'énergie en fin d'après-midi…

Maud Graham se présenta à onze heures à l'aile de pédiatrie avec un manteau neuf pour Maxime. Il l'enfila en s'extasiant, puis il tapa du pied.

— Ricardo est venu me voir ce matin. Regarde !

Il désignait fièrement ses bottes de cuir neuves.

— Mon père va les trouver belles ! On y va ?

L'impatience de Maxime était émouvante. Elle adressa une prière muette au ciel. Et constata qu'on l'avait écoutée quand ils se présentèrent à l'aile d'hémodialyse. Le médecin qui les accueillit répéta qu'il fallait éviter de fatiguer le malade et qu'on leur accordait cinq minutes, pas plus.

Graham accompagna Maxime jusqu'à la porte de la chambre. Il courut vers le lit de Bruno Desrosiers avant de s'arrêter, subitement hésitant. Il se tourna vers Graham qui lui sourit, l'encouragea d'un signe de la tête. Il serra alors la main de son père et celui-ci ouvrit les yeux, parvint à refermer les doigts sur ceux de son fils.

Pour masquer son émotion, Graham s'enquit auprès du médecin des progrès du patient : quand pourrait-il répondre à ses questions ?

— Dans un jour ou deux. Il s'épuise très vite.

— Il a toute sa tête ? Il n'a pas perdu la mémoire ?

— On n'a pas pu encore tout vérifier, mais il se souvient de son fils, de l'endroit où il habite, de son métier de musicien.

— Il n'a pas parlé des agresseurs ?

Le médecin eut un mouvement d'impatience ; ne constatait-elle pas la faiblesse du blessé ?

— Je vois surtout qu'il survit. Mais on aura peut-être envie de l'achever pour être certain qu'il se taise. Et il a un fils qui pourrait subir le même sort.

— Vous exagérez ! protesta le médecin, révolté à l'idée qu'on tue un patient qu'il s'était acharné à sauver.

— Non, pas trop, rétorqua Graham en se dirigeant vers Bruno Desrosiers.

Celui-ci écoutait Maxime en souriant. Il faisait des efforts considérables pour rassurer son fils, et Graham se contenta d'une question. Avait-il perdu la mémoire comme Maxime ou pouvait-il lui fournir quelques indications sur l'attentat ?

Desrosiers murmura quelques mots. Elle se pencha vers lui, mais n'entendit que le nom de Maxime avant que l'homme ferme les yeux. Une infirmière, déjà, se pressait vers elle et l'obligeait à sortir. Le garçon embrassa son père sur la joue et rejoignit Graham dans le couloir. Il paraissait plus soucieux qu'à leur arrivée.

— Il se rétablira, dit Graham.

Elle espérait que Maxime romprait rapidement le silence. Elle lui proposa de dîner avant de rentrer au CHUL. Qu'aimait-il manger ? Pizza, hamburger, sous-marin ?

— Des ailes de poulet, s'écria-t-il. Piquantes. C'est bon ! Je suis capable de mettre dix gouttes de Tabasco dans mon jus de tomate. J'en mets plus que Jérôme.

— On pourrait aller chez Mikes ? Non… je serais mieux de retourner tout de suite à l'hôpital…

Graham remonta le col du manteau de Maxime avec douceur et lui expliqua qu'elle était persuadée que sa mémoire reviendrait au même rythme que celle de son père.

— L'important pour l'instant, c'est de prendre soin de toi. Il faut que tu manges ! Tu es trop maigre !

Maxime approuva ; au parc, il y avait un grand qui l'appelait le maringouin. Un jour, il lui avait enfoncé la tête dans une poubelle.

— Ce n'est pas drôle, commenta Maud Graham avant d'aider Maxime à attacher sa ceinture de sécurité.

Quand il la détacha, une heure plus tard, devant l'entrée principale du CHUL, la détective eut une impulsion : elle le ramènerait chez elle après avoir visité Rouaix en fin de journée. Il l'aiderait à décorer son sapin.

Elle raccompagna l'enfant jusqu'à l'aile de pédiatrie où elle confia ses plans à Nicole.

— Ce n'est pas trop légal, Maud, mais j'en parlerai à Marie-France Pagé et je t'obtiendrai l'autorisation d'un médecin.

— J'ai son saxophone chez moi. Il ne pourra pas en jouer, je sais, mais ça lui plaira de le retrouver. On écoutera du jazz…

— Depuis quand aimes-tu le jazz ? Ah ! c'est vrai, Alain sera là.

— Tu es pire que Léa !

— Elle est venue porter son fameux quatre-quarts à André tantôt. Tu l'as ratée de cinq minutes. C'était vraiment gentil de sa part.

— J'ai de bonnes amies, dit Maud Graham.

En rentrant à la centrale de police, elle pensait toujours à ce lien si particulier qui l'unissait à Léa, Rouaix, Grégoire ou Nicole. Elle était privilégiée d'être ainsi entourée. Elle croisa Trottier dans l'escalier qui menait à son bureau.

— Desrosiers a parlé?

— Pas encore. J'espère qu'il souhaite me faire un beau cadeau de Noël.

— Tu peux m'appeler si tu veux. Voici le numéro de téléphone chez ma sœur à l'Île.

— Mais non, fête en famille.

— La famille... On va être trois. Je suppose que je faisais trop pitié et qu'elle m'a imposé à son mari. Ils seront contents que je débarrasse le plancher le lendemain matin. J'en profiterai pour aller voir Rouaix à l'hôpital. Il est plus à plaindre que moi... Ou même Berthier. Tiens, il est venu tantôt chercher des dossiers. Il a maigri d'au moins quatre, cinq livres. Maudite grippe! Il n'a même pas parlé de son bateau!

— Il avait commencé à maigrir avant, laissa tomber Graham sans que Trottier l'entende.

Elle avait noté que le visage de Berthier s'était affiné depuis l'automne et lui en avait fait la remarque, car elle-même aurait aimé qu'on soit conscient de ses propres efforts pour maigrir. Berthier avait protesté; il n'avait pas perdu tellement de poids. Il avait seulement fait plus d'exercice durant l'été, car il avait sorti son bateau très fréquemment. Sa réaction avait étonné Maud Graham; ce qu'elle prenait pour un compliment l'avait embêté. Pourquoi?

Et maintenant, il perdait un kilo par semaine.

Souffrait-il seulement d'une grippe?

Maud Graham frémit, retenant sa respiration. Et s'il était très malade? S'il souffrait d'autre chose qu'une grippe? Elle serra la rampe d'escalier de toutes ses forces. Pourquoi fallait-il toujours qu'elle invente le pire ? Son patron la héla près des distributrices.

Non, Desrosiers n'avait rien révélé. Non, le dossier n'avançait pas. Non, elle n'avait pas de noms à lui communiquer. Non, elle n'avait pas de pistes.

— Mais des intuitions, Graham, tu en as sûrement, des intuitions...

— Oui, admit-elle avant de tourner le dos à Robert Fecteau.

Elle l'entendit soupirer derrière elle tandis qu'elle ôtait son manteau et le déposait sur le dossier de sa chaise ergonomique — cadeau d'Alain Gagnon. Elle ouvrit le dossier qui menaçait de faire s'écrouler la pile en attente. Elle le parcourut, se souvint de cette femme menacée de mort par son mari qu'elle avait jeté à la porte après avoir découvert qu'il abusait de leur fille. L'homme avait réussi à la poignarder à l'omoplate. Le procès aurait lieu dans trois mois. Graham serait contente d'aller témoigner contre lui. De quelle sentence écoperait-il ? Vingt-quatre, trente mois de prison ? Et après deux ans de probation, il aurait sans doute le droit de revoir sa fille. Qui n'aurait alors que quatorze ans. Est-ce que l'adolescente aurait envie, elle, de parler avec cet homme qui avait détruit sa confiance ?

Quelques notes d'un cantique se firent entendre à l'extérieur, montant du stationnement. Graham devina des souhaits de paix aux hommes de bonne volonté. Elle observa ses collègues qui s'étaient tous arrêtés au même moment, surpris par la musique, et qui méditaient sur l'optimisme de l'auteur de la chanson. Ils n'auraient jamais pu en écrire le texte.

* * *

— Tu es heureuse ? glissa Alain Gagnon à l'oreille de Maud Graham quand ils se retrouvèrent tous les deux dans la cuisine.

— Plus encore. Tu es fou !

Elle faisait allusion aux nombreux cadeaux qu'il lui avait offerts. Elle joua avec la chaîne d'argent qui pendait à son cou.

— Elle est magnifique. Et la lingerie aussi…

— Même si tu étais gênée ?

Elle avait rougi en déballant un magnifique ensemble en dentelle bleu sarcelle, même si elle se doutait un peu qu'il allait lui offrir ce soutien-gorge et cette culotte, car ils s'étaient attardés longtemps dans une très jolie boutique du Plateau, Les Hauts et les Bas, quand elle était allée à Montréal, à la fin de novembre. Alain semblait très à l'aise dans cet univers féminin, douillet, et l'avait poussée à essayer un peignoir de soie. Elle avait pensé à Léa qui lui répétait qu'elle devait investir dans la lingerie, repousser ses vieilleries — confortables, il est vrai — au fond d'un tiroir.

Grégoire n'avait pas manqué de faire un commentaire égrillard quand il avait remarqué le paquet sur une étagère de la bibliothèque. Il lui avait reproché de ne pas avoir essayé immédiatement les sous-vêtements.

— Est-ce que ça t'ennuie ? demanda-t-elle à Alain. Je les trouve beaux, mais je n'ai pas pensé à les mettre… Grégoire dit que tu pourrais être vexé.

— Grégoire te taquine, ma belle ! Il est vraiment formidable. Et doué avec les enfants.

— Oui, je me souviens, avec Frédéric qui avait fugué… il l'avait pris sous son aile. Au début, j'ai eu un peu peur.

— Peur ?

Quand Graham avait annoncé à Grégoire qu'il y aurait un invité de plus, un enfant de onze ans, au réveillon, il avait déclaré qu'il ne resterait pas longtemps.

— Si tu m'as invité pour que je joue avec, tu vas être déçue. Moi, les garderies, j'ai passé l'âge, certain !

— J'ai décidé ça à la dernière minute. Je ne pouvais pas le laisser fêter à l'hôpital. Les autres enfants ont au moins un parent avec eux.

— En tout cas, je te fais ta bouffe et je sacre mon camp.

— Grégoire !

Il avait commencé à fouiller dans le réfrigérateur, à déplacer les objets sur le comptoir pour avoir plus d'espace pour cuisiner. Puis il l'avait mise à la porte.

— Vas-y à l'hôpital, Biscuit, puisque tu y tiens tant que ça. Mais reviens avant que ton beau Alain arrive, si tu veux pas que j'y fasse des avances... Il est tellement *cute* !

Au CHUL, André et Nicole Rouaix célébraient un réveillon hâtif avec les collègues et les médecins, un réveillon interrompu sans cesse et cependant joyeux.

— Martin m'a téléphoné avant de partir à Montréal, avait confié Rouaix à Graham en souriant.

— C'est un début !

Nicole avait esquissé à son tour un sourire avant de récapituler avec Graham les précautions à prendre avec Maxime.

— Bon concert, lui souhaita-t-elle.

— Un concert ? s'était étonné Rouaix.

— Mais oui, avait dit Nicole d'une voix sucrée, Maud va entendre du jazz pour le réveillon.

— Maxime ne peut pas jouer. Je voulais simplement qu'il récupère son instrument.

— Alain Gagnon est doué, paraît-il, avait susurré Rouaix.

— Alain ?

Comme il n'avait jamais joué devant elle, elle avait oublié qu'il avait étudié la musique durant quelques années. Elle avait haussé les épaules : Maxime ne se coucherait pas si tard. Alain ne jouerait pas toute la nuit.

— Bonne chance, l'avait prévenue Nicole. Maxime a toujours cent mille questions à poser quand vient l'heure du coucher. Et le reste du temps aussi. Il est extrêmement curieux. Un peu trop même... J'ai dû le réprimander tantôt ; il s'était glissé dans une salle réservée au personnel.

— Il ne peut pas être parfait, avait répliqué Graham.

— On ne veut pas qu'il le soit non plus. Les enfants trop sages m'inquiètent. Les petits malades qui se taisent, qui acceptent tout sans protester me fendent le cœur.

— Comme Kevin ?

Nicole avait acquiescé, exprimé son malaise. Elle comprenait de moins en moins de quoi souffrait l'enfant, mais elle redoutait des examens plus invasifs.

— On devra pourtant s'y résoudre pour dissiper le mystère.

Graham croyait deviner ce qu'évoquait Nicole : la sensation désarmante, déstabilisante, de frôler la vérité sans être capable de l'identifier. Elle connaissait ce sentiment exaspérant et le soulagement qu'elle éprouvait quand l'intuition se précisait enfin, montait en bulles aussi fines que celles du Pommery qui pétillait dans leurs verres et explosait, se révélait à sa conscience. Les médecins, les infirmières aussi menaient des enquêtes…

— Je n'ai pas annoncé à Maxime que tu voulais l'emmener chez toi.

Maxime n'avait pas cru Graham, au début. Puis il avait poussé un cri de joie et s'était jeté dans ses bras avec une fougue qui l'avait fait grimacer en se frottant l'épaule.

— Attention, j'ai promis au médecin que je veillerais sur toi.

C'était maintenant Grégoire qui s'acquittait de cette tâche ; Maxime avait repris de tous les plats qu'il avait préparés, répétant qu'il n'avait jamais aussi bien mangé de toute son existence.

— Sauf une fois, avec mon père. On avait été dans le Maine. Il y avait des homards énormes qu'on plongeait dans une grosse marmite.

— C'est la seule chose que Biscuit est capable de réussir en cuisine, faire bouillir de l'eau, persifla Grégoire alors que Maud apportait une bouteille de porto pour accompagner les fromages.

— Attention, tu n'auras pas tes cadeaux !

— Des cadeaux ?

— Si on les ouvrait? proposa Alain Gagnon qui avait remarqué les bâillements de Maxime.

L'enfant fut épaté par les disques que lui offrait Maud Graham.

— C'est Alain qui m'a conseillée. Et c'est moi qui ai choisi la montre qu'il t'offre.

— On en écoute tout de suite?

Maxime tendait déjà un album à Alain, le suivait vers la chaîne stéréo.

En désignant les deux foulards, Graham expliqua à Grégoire qu'elle avait toujours le coupon de caisse et qu'il pourrait échanger son cadeau.

— Je ne savais pas qu'Alain avait acheté le même.

— C'est correct, ça veut dire que vous êtes faits pour aller ensemble... Câlice, je commence à être trop fin avec toi, ça doit être le champagne, certain! Je vais aller faire un tour dehors.

Elle n'avait pas tenté de le retenir, connaissant ce ton sans appel qui camouflait trop d'émotions. Elle dit simplement qu'il pouvait revenir manger de la bûche quand il le désirerait. Et qu'elle le remerciait mille fois. Et pas seulement pour le scarabée d'ambre qu'il lui avait offert.

— Fais attention à la bouffe sur le comptoir de la cuisine, la prévint Grégoire. Léo a encore un petit creux.

Maud Graham se précipita. Son chat avait effectivement attrapé un morceau de canard et le dégustait tranquillement sous la table. Elle se pencha, reprit le morceau et le dépiauta. Elle passait suffisamment de temps dans les hôpitaux sans devoir courir chez un vétérinaire un soir de réveillon! Elle tendit la chair débarrassée des os à Léo en lui souhaitant un joyeux Noël.

Elle se heurta la tête contre la table en entendant la sonnerie du téléphone, se dépêcha d'aller répondre. Elle n'avait pas encore annoncé officiellement à sa famille qu'elle fréquentait Alain Gagnon. C'était ridicule, mais elle craignait leurs commentaires sur la différence d'âge qu'il y avait entre Alain et elle. Six ans. Léa disait que ça ne comptait pas, mais si elle se trompait ?

— Bruno ? s'exclama-t-elle en reconnaissant la voix. Ça va mieux ? Oui, bien sûr.

Maud Graham agita le récepteur en direction de Maxime qui devina immédiatement l'identité de l'interlocuteur.

— Papa ! Oui ! Comment ça va ? J'ai eu des super bons disques ! Et une montre ! Et une grosse boîte de crayons feutres. Je vais dessiner Léo quand je vais aller mieux.

Maxime raconta toute sa soirée avant que son père puisse placer un mot. Il cessa alors de sourire, son front se plissa, il colla davantage son oreille à l'écouteur et tourna le dos à Graham et à Gagnon. Quand il raccrocha le récepteur, il demeura un moment immobile. Puis il dit à Graham que son père lui avait rafraîchi la mémoire.

— Je ne m'endors pas. Je vais tout te raconter. Même si ce n'est pas grand-chose. Tout s'est passé tellement vite.

Maxime relata l'agression et tenta de décrire l'homme qui avait fait feu sur son père et lui.

— C'est plate que je ne puisse pas t'aider plus. Il portait un chandail à col roulé qui lui cachait le menton et il avait une tuque enfoncée jusqu'aux yeux. Je ne l'ai pas bien vu.

Il tapotait son bandage serré sous sa chemise à carreaux.

— L'autre type, il était comment ?

— Plus grand qu'Alain, mais moins que celui qui tenait l'arme. Je ne l'ai pas trop examiné non plus, je me suis occupé de mon père.

Il n'avait entendu qu'une phrase : Bruno avait vendu une pierre. C'est ça qui les avait mis en colère.

— Vendu une pierre ? Tu en es certain ?

— Je suis sûr qu'ils ont dit ce mot-là. Après, je suis entré. Et le plus mince a tiré. Tu pourrais me montrer des photos, comme dans les films.

Il était si soulagé d'avoir eu la permission de collaborer avec Maud Graham.

— On ira au poste demain jeter un coup d'œil. Mais il faudra attendre un technicien pour établir des portraits-robots. On pourrait aussi aller visiter ton père.

— Ensuite, je devrai retourner au CHUL ?

Maxime n'attendait pas de réponse ; on ne savait pas quoi faire de lui, surtout durant la période des fêtes. Il espéra que son père se remette au plus vite. Malgré son épaule bandée, il réussirait bientôt à livrer ses journaux ; il déposerait les exemplaires dans une luge en plastique et n'aurait plus qu'à tirer sa pile de quotidiens.

Tout rentrerait dans l'ordre.

* * *

Bruno Desrosiers avait remercié Maud Graham d'avoir invité Maxime chez elle pour Noël en lui révélant pourquoi on l'avait agressé.

— Luc Lapierre croit que je l'ai vendu.

— Lapierre ! C'est Lapierre qui t'a tiré dessus ?

— Non, je n'avais jamais vu le gars qui m'a pointé.

Maud Graham était dégoûtée ; elle ne cessait d'ajouter des noms aux dossiers Desrosiers et Girard. Lapierre, maintenant.

— Le plus con, avait repris le blessé, c'est que je n'ai jamais rien dit sur Lapierre. Je ne le connais même pas !

— De qui voulais-tu me parler, le soir du crime ?

Desrosiers s'était alors plaint d'une grande lassitude. Maud Graham lui avait expliqué que son silence ne lui garantirait aucune protection.

— Fais attention à mon petit gars.

Elle ne demandait pas mieux. Elle avait eu un entretien téléphonique avec Marie-France Pagé qui l'avait ébranlée. La mère de Maxime était partie en voyage, des voisins l'avaient confirmé, mais si l'un d'entre eux mentionnait Cuba, d'autres penchaient pour la Floride ou la République dominicaine. Elle était introuvable. D'ici son retour, Graham pouvait se charger de Maxime, bien que ce ne soit pas conforme au règlement.

Elle pouvait le gâter et l'aimer, mais comment réagirait-elle quand Maxime retournerait vivre avec son père ?

Devait-elle admettre à l'avance ce déchirement ou s'en protéger ?

— Tu es compliquée, Graham, lui dit Jean Trottier le lendemain de Noël. Je comprends que le petit bonhomme est *bright*, mais tu cherches les problèmes. C'est le fils d'une source…

Trottier marqua une pause avant d'avouer que Maxime l'avait épaté.

— Il était si concentré en comparant les photos des criminels ! Mes filles aussi sont attentives quand elles font leurs devoirs. Elles sont plus sérieuses que moi à leur âge ! J'espère qu'elles vont être contentes de leurs cadeaux. Je les leur donnerai après le jour de l'An. Je travaille le trente et un et le premier.

— Tu ne devais pas être en congé ?

— Je devais avoir les filles pour le jour de l'An, mais je vais plutôt les prendre le deux jusqu'à la fin des vacances. Ça fait moins de chambardements. Berthier m'a demandé d'échanger nos horaires. Il n'est pas dans son assiette. Tantôt, je parlais avec lui de notre enquête et il était en sueur. Il ferait mieux de rester chez lui jusqu'à ce qu'il soit guéri de sa grippe. Je pensais qu'il pourrait nous préciser quelque chose sur Lapierre. Il avait déjà eu affaire à lui…

— Tu avais oublié comment ça s'était terminé ? L'avocat de la défense avait obtenu un non-lieu pour son client devant la disparition de preuves incriminantes.

— Ah oui ! l'arme du crime s'était volatilisée ! Berthier était fou de rage !

— Ah ? C'est cette fois-là que Moreau s'est fâché quand les journalistes ont essayé de lui parler ?

— Tout juste.

— Je pourrais en discuter avec Moreau. C'est le partenaire de Berthier, après tout…

— Graham !

— Tu l'as dit, je cours après les problèmes.

Elle ne croyait pas que Moreau pourrait lui en apprendre davantage sur Lapierre, mais elle cherchait un prétexte pour lui parler. Elle voulait savoir de quoi souffrait exactement Berthier.

Moreau lui dit de relire le compte rendu du procès Lapierre au lieu de le déranger. Il avait déjà assez de travail comme ça.

— C'est vrai, ton partenaire est malade. Ça fait longtemps, non ? Berthier ne tousse pas beaucoup pour quelqu'un qui a la grippe.

— Te prends-tu pour un médecin parce que tu sors avec le doc ? la rabroua Moreau. Veux-tu insinuer que mon partenaire fait semblant d'être sur le carreau ?

Graham protesta avant de regagner son bureau. Elle avait tort de s'interroger sur les symptômes de Berthier. Elle espéra que Rouaix n'attraperait pas le virus : Berthier ne l'avait-il pas vu le matin même ?

Elle irait aussi lui rendre sa visite quotidienne, mais elle tenait à passer chez Denise Poissant auparavant pour offrir le chat en peluche à Kevin. Elle croyait avoir acheté spontanément ce cadeau, mais quand Alain lui avait fait remarquer qu'elle s'était attachée bien subitement à ce bébé, elle n'avait su que répondre. Puis elle avait admis que Denise Poissant l'intriguait et qu'elle voulait voir comment elle vivait.

Le sapin de Noël, pourtant garni de lumières, n'était pas allumé quand Maud Graham se présenta chez les Poissant, mais la pièce qui donnait sur la rue était éclairée. La détective sonna à la porte, en espérant que l'enfant ne soit pas déjà couché. Il était à peine dix-huit heures, mais Kevin pouvait garder le lit après un séjour à l'hôpital. Graham avait appris par Nicole que Kevin était rentré chez lui. Celle-ci lui avait révélé que les résultats des tests n'étaient pas concluants.

— On a fait une radio, ça aurait pu être un néphroblastome.

— Pardon ?

— Une tumeur du rein. C'est pourquoi on a pratiqué une pyélographie. Mais rien. Et le lendemain, en refaisant des tests, on n'avait plus de traces de sang.

— Et toi ?

— Moi, je trouve ça bizarre, avait confié Nicole à Graham. Et le Dr Mathieu aussi. On n'a pas aimé le départ précipité de Mme Poissant. Elle a reconnu qu'elle avait eu un moment de panique, une sorte de crise d'angoisse à l'idée que Kevin resterait peut-être pour toujours à l'hôpital. Elle a reparlé de la petite Jessica. C'était très pénible. Ensuite, elle a insisté pour que Kevin passe Noël chez eux. On n'a rien de concret, alors…

Denise Poissant eut un mouvement de recul en reconnaissant la détective.

— Je voulais simplement remettre ce petit cadeau à Kevin.

— À Kevin ?

— Vous permettez ?

Maud Graham poussait la porte, la refermait avec une aisance née d'une longue habitude avec les témoins qu'elle devait interroger. En pénétrant dans le salon, elle fut surprise par son dénuement. Pas un bibelot sur le manteau de la cheminée, aucune photo sur la table du salon, aucun tableau sur les murs. Une chambre d'hôtel aurait été plus chaleureuse. Un ordre parfait régnait partout. Un seul jouet sous un meuble trahissait la présence d'un enfant.

— Mon fils dort, annonça Denise Poissant.

— Il est encore malade ? Vous venez de quitter l'hôpital ! Il allait bien hier, non ?

Denise serra les dents et se mit à pleurer. On n'avait rien à lui reprocher. Graham bredouilla des excuses ; elle s'inquiétait pour le petit Kevin, si souvent hospitalisé.

Denise Poissant se moucha, s'excusa à son tour ; elle était fatiguée, elle avait peu dormi. Son fils l'avait tenue éveillée une partie de la nuit.

— Et votre mari ?

— Mon mari ?

— Maxime m'a appris qu'il avait été blessé à l'étranger.

Le visage de Denise Poissant demeura imperturbable, mais ses lèvres frémirent.

— Maxime ?

— Le garçon qui partageait la chambre de Kevin. Vous lui auriez dit en partant que…

— Il a dû rêver. Ou tout inventer. Les enfants ont tellement d'imagination. Je suis séparée de mon mari. Et c'est pour le mieux ! Kevin appréciera votre cadeau à son réveil.

— J'espère qu'il ira mieux et que vous ne devrez pas retourner à l'hôpital, dit Graham, compatissante.

Denise Poissant acquiesça, alors qu'elle faisait appel à toute sa volonté pour ne pas se rendre trop rapidement à l'urgence du CHUL. Elle avait tenté de voir un médecin à l'Hôtel-Dieu de Québec à la fin de l'après-midi, mais le regard particulièrement inquisiteur d'une infirmière lui avait fait rebrousser chemin. Elle n'avait même pas donné son nom au triage, s'était retenue de courir vers la sortie et de crier sa rage en regagnant sa voiture. Elle avait parfois l'impression qu'elle allait exploser tant elle se sentait incomprise. Elle n'était pourtant pas si exigeante ; elle voulait juste qu'on pratique une belle intervention sur Kevin.

Maud Graham déposa le paquet sur la table du salon et offrit ses vœux de bonne année, et surtout de bonne santé, à Denise Poissant. Elle quitta la demeure de la rue Notre-Dame, en proie à un sentiment de malaise qui perdura longtemps. Cette femme la glaçait sans qu'elle sache pourquoi. Et c'est précisément parce qu'elle ne pouvait identifier les causes de son malaise que Maud Graham allait s'interroger de plus en plus sur le cas Poissant. Chercher à comprendre en discutant avec Nicole.

Denise Poissant prit un anxiolytique pour dormir ce soir-là. Si Kevin n'avait pas été si jeune, elle aurait craint qu'il se soit plaint à cette fouineuse. Heureusement, son langage limité et le fait qu'elle soit en permanence avec lui la protégeaient de tout incident. Elle n'irait pas à l'hôpital avant quelques jours. Elle n'irait pas. Elle n'irait pas. Elle dominerait ses pulsions.

Chapitre 6

— Je n'ai jamais vu Rouaix aussi enragé, dit Graham à Nicole.

Ce dernier ne décolérait pas depuis qu'il avait appris que Martin avait eu un accident parce qu'il avait voulu conduire malgré la pluie verglaçante. Tout le monde lui avait conseillé de rester au chalet, mais il avait fallu qu'il prenne la voiture.

— Au moins, Nicole, il n'y a pas de blessés, hasarda Graham.

— Sa tante lui prête son auto pour aller au réveillon du jour de l'An et il la remercie en la démolissant. Tout ça pour une fille qu'il vient de rencontrer et… Imagine s'il s'était tué… Je préfère ne pas y penser. J'ai averti André que je voulais qu'on rencontre un psychologue pour discuter de Martin. Je ne sais plus comment agir avec lui. Je le sens tellement en colère, mal dans sa peau, et j'ai l'impression que nous ne pouvons pas l'aider. Il a eu une peine d'amour cet été et tout se déglingue depuis. Mais ce n'est pas notre faute si Amélie l'a repoussé !

— Il ne veut pas mettre la faute sur elle, car il l'a idéalisée pour l'aimer. Alors c'est à vous qu'il s'en prend.

— À André surtout. Il lui reproche son métier. Il est toujours prêt à le critiquer, il le contredit sans cesse. C'est épuisant ! Il cherche la petite bête noire.

— Heureusement que Martin ne conduisait pas très vite, ni le conducteur qu'il a heurté. C'est une vraie chance.

— La chance, c'est que son père soit immobilisé ici. Sinon, il serait allé l'étriper à Sainte-Adèle ! On n'a pas mérité ça !

— Si ça allait selon le mérite… tu n'aurais pas autant de malades.

— C'est vrai qu'il n'y a rien de plus injuste que la maladie, admit Nicole. Quand je pense à tous ces enfants, Rébecca, Élodie, Kevin…

— À propos, est-il revenu ici ? Sa mère avait l'air inquiète quand je suis allée porter le cadeau…

Nicole eut un signe de dénégation et soupira :

— Peut-être que tout est rentré dans l'ordre.

— Tu manques de conviction… Tu n'y crois pas.

— Toi non plus, Maud. Ni le Dr Mathieu. Mais on n'a aucune preuve. Je ne sais même pas de quoi on devrait se méfier. On voudrait savoir si elle est allée dans d'autres hôpitaux, mais c'est contre la déontologie.

— Mais la DPJ peut contourner le problème de la confidentialité.

— Est-ce qu'on devrait déposer une plainte ? Même sans motifs concrets ? Elle a perdu un premier enfant. Toutes les femmes à qui pareil drame est arrivé ne deviennent pas folles, mais c'est un traumatisme très grave. Imagine si on ajoute l'insulte à la douleur…

— Elle doit avoir peur de perdre Kevin. C'est pourquoi elle vient fréquemment à l'hôpital. Pour se faire rassurer et prouver qu'elle est une bonne mère qui s'inquiète vraiment pour son enfant. Dans ce cas-ci, le mieux semble être l'ennemi du bien. Tu vas sûrement la revoir sous peu.

— Pas sûr… Je l'ai contredite quand elle a exigé une appendicectomie. Si ses yeux avaient été des pistolets, j'aurais été pulvérisée sur-le-champ.

— Qu'est-ce que vous pouvez faire ?

Nicole haussa les épaules. Le Dr Mathieu essaierait de convaincre Denise de rencontrer un psychologue si elle se représentait au CHUL.

— Il ne peut lui dire qu'il la croit malade, mais elle a sans doute autant besoin d'aide que Kevin. C'est peut-être ce qu'elle désire ; qu'on s'occupe d'elle, qu'on la prenne en charge. Elle doit se sentir très seule.

Nicole éprouvait autant de compassion que d'agacement envers Denise Poissant et ce sentiment paradoxal la troublait. Mme Poissant était une mère dévouée, trop peut-être.

— C'est tout de même curieux qu'elle se préoccupe de l'état de son ex-mari, reprit Maud Graham.

— De son ex ?

— Elle a raconté à Maxime qu'elle allait à son chevet quand elle a quitté l'hôpital, à Noël.

— Elle ne nous a rien dit de tel. Elle a parlé d'une crise de panique.

— Quand j'ai abordé le sujet, elle a nié ce qu'elle avait dit à Maxime. Et il est vrai que, chez elle, je n'ai remarqué aucune trace de cet attachement, aucune photo du père de Kevin dans la maison. Alors pourquoi en a-t-elle parlé ? Espérait-elle inconsciemment une réconciliation ?

— Ça m'étonnerait. Bernard Rivet a abandonné Denise Poissant parce qu'il ne supportait pas d'avoir un enfant malade, reprit Nicole. Il aurait pu faire preuve de maturité. Il est assez âgé pour ça.

— Âgé ?

— Selon Denise Poissant, il a été plusieurs fois décoré. Il doit avoir plusieurs années de carrière. L'agressivité est peut-être utile au front, mais Rivet est violent en privé. Quand il boit. C'est bizarre que Denise Poissant ait dit à Maxime qu'elle allait le voir.

Même si Graham connaissait mille cas de violence familiale semblables à celui-ci, tristes et sordides, elle fit observer à Nicole qu'elle n'avait que la version de Denise Poissant.

— Oui, admit Nicole. Cependant Marie-France Pagé, qui a discuté avec elle, prétend que Denise craint son mari. Elle refuse même qu'il voie Kevin, car le petit a peur de lui. Mais comme le jugement de la Cour n'est pas trop clair, elle redoute que Rivet refasse surface.

— Eh ! minute ! Il la quitte parce qu'il ne supporte pas un enfant malade, mais elle a peur qu'il le lui enlève ? Ça ne tient pas debout.

Graham ajouta qu'un jugement de la Cour est en général assez précis. Que signifiaient les vagues propos de Denise Poissant ?

— L'assistante sociale aura mal compris, fit Nicole, subitement excédée.

Elle se sentait coupable de faire le procès d'une femme troublée qui portait déjà sa croix. Comment pouvait-elle la juger ?

— Tu ne la juges pas, tu t'inquiètes pour Kevin. Si Denise était déficiente mentale, tu dirais qu'elle ne peut pas soigner correctement un enfant, non ? C'est la même chose si on découvre un problème d'équilibre psychique.

Nicole termina son café en silence. Elle reparlerait du cas Poissant au Dr Mathieu, lui rapporterait cette conversation. Il déposerait vraisemblablement une plainte à la Protection de la jeunesse. On enlèverait Kevin à Denise. Il rejoindrait son père.

— Il faut qu'on trouve ce dont il souffre.

Nicole tapota le cadran de sa montre ; sa pause était terminée. Maud Graham l'accompagna jusqu'à l'aile de pédiatrie pour voir Maxime.

— Tu vas réussir à avoir sa garde temporaire ? demanda Nicole.

La détective sourit ; elle avait de bonnes chances de pouvoir recueillir Maxime chez elle en attendant qu'on trouve une solution appropriée.

— Il ne peut pas rester ici éternellement. Son père est hors d'état et sa mère n'est toujours pas rentrée de vacances. Il n'en parle jamais. J'aimerais mieux qu'il la critique, comme le fait Grégoire à propos de la sienne, mais Maxime garde le silence à son sujet.

— Tout ce qu'on sait, c'est qu'il avait trois ans quand elle est partie.

— Il doit pourtant avoir quelques souvenirs. Et elle doit lui manquer. Quelle mère ne manque pas à un enfant ? L'enfant protège même un père incestueux…

— En l'occurrence, Maxime protège un père irresponsable. Ça m'enrage ! André fait tout ce qu'il peut pour comprendre Martin et on n'est pas plus avancés. Desrosiers, qui vend de la drogue et trafique avec les motards, a un enfant plus raisonnable que le nôtre !

— Maxime aura sûrement une crise d'adolescence…

Nicole soupira avant de pousser la porte de l'aile de pédiatrie, s'efforça de sourire.

— *The show must go on…* Mais j'ai hâte que Martin se replace !

Maud Graham ne resta pas plus de cinq minutes avec Maxime, mais elle le quitta plus décidée que jamais à en obtenir la garde.

Au bureau, quand Trottier s'enquit de Rouaix, elle répondit qu'il allait mieux sans mentionner l'accident de Martin. C'était certainement ce que souhaitait André Rouaix, si discret, si réservé. Si flegmatique. Maud Graham appréciait son calme apparent, même si elle le taquinait sur sa prestance britannique, mettant en doute ses origines françaises.

— Je t'emmènerai en Champagne, un jour, répliquait alors son partenaire. Tu verras mes cousins.

— Rouaix doit commencer à marcher ? questionna Trottier.

— Oui. Il réussit à se déplacer. Difficilement, à cause de ses côtes fêlées, et il ne doit pas faire de faux mouvements.

— Et Desrosiers ?

— Il répète qu'il n'a rien à me dire de plus. Il a peur. Et je ne peux pas lui promettre une protection qu'on ne lui donnera pas.

— On ne lui demande quand même pas le nom d'un parrain !

— Non. C'est le nom du tueur de l'avocat Girard. Je pense toujours que c'est Wilson, mais on sait qu'il n'a pas tiré sur Desrosiers. Celui qui a tiré croyait que Desrosiers avait vendu Lapierre. Il a dit Lapierre, pas Wilson. Donc Wilson ne croit pas que Desrosiers m'ait donné son nom. Et Desrosiers ne connaît pas Lapierre. Cherchez l'erreur…

— Et s'il te mentait à ce sujet ?

— Ça signifierait que Lapierre a des amis puissants qui tiennent vraiment à protéger leur chimiste. Malgré tout, je crois Desrosiers qui ne pige pas ce que vient faire Lapierre dans son agression.

— Et si ta source en savait plus qu'elle ne le pense ? S'il a vu quelque chose sans en mesurer la portée ? S'il avait vu Lapierre sans savoir que c'est lui, avec Wilson par exemple ?

— C'est son genre… Il est tellement naïf ! S'il a survécu jusqu'à maintenant, c'est qu'il ne se mêlait qu'à de petites combines. Mais aussitôt qu'il veut jouer plus gros, il commet des erreurs.

— Je rencontre l'agent de probation de Wilson tantôt, annonça Trottier, pour qu'il m'éclaire sur les liens entre Wilson et Lapierre.

— Je vais relire le dossier de Moreau et Berthier sur Lapierre. Il y a peut-être un détail sans importance pour eux, mais qui va nous intéresser.

— J'ai parlé avec Moreau. L'affaire Lapierre était claire. Si tout s'est effondré en cour, c'est qu'une pièce à conviction avait disparu, c'est vrai, mais deux témoins sont revenus sur ce qu'ils avaient dit.

— On les aura intimidés, suggéra Graham.

— Va donc le prouver…

Avant de relire le procès de Lapierre, elle prit le temps d'appeler à la base militaire de Valcartier pour obtenir des informations au sujet de Bernard Rivet. Elle n'avait pas entendu ce que Denise avait raconté aux infirmières, mais elle était certaine d'une chose : l'homme ne pouvait être en mission, dans l'avion qui le rapatriait, et sur un lit d'hôpital à Montréal au même moment.

Le major Dubois, qu'elle avait rencontré lors d'une précédente enquête, lui apprit que Bernard Rivet était parti en mission quelques mois plus tôt, qu'il était revenu, qu'il travaillait à Longue-Pointe.

Il n'avait jamais été blessé.

Maud Graham pria son interlocuteur de lui décrire Rivet, après lui avoir expliqué que sa femme était mêlée à une histoire très complexe.

— Je ne peux pas vous fournir tous les éléments, major. C'est seulement une intuition. Elle raconte des trucs qui ne collent pas à la réalité. On pense qu'elle a besoin d'aide.

— Vous devriez parler à Rivet. Ses supérieurs apprécient son bon sens, sa logique. Pas le genre à se précipiter sans réfléchir.

— Pas violent, impulsif?

Le major s'étouffa au bout de la ligne. Rivet? Au contraire, si on pouvait lui faire un reproche, c'était peut-être de manquer de combativité. C'était un bon élément, mais il n'était pas du genre à prendre des initiatives. Ni peureux ni téméraire.

— Il a été plusieurs fois décoré?

— Décoré? Qui vous a raconté ça?

— Sa femme.

Maud Graham pensa à ces révélations tout l'après-midi. Elle faillit téléphoner à Nicole Rouaix, mais elle préférait avoir plus d'éléments à lui fournir. Ainsi, Nicole pourrait demander à l'assistante sociale de confronter Denise Poissant à ses mensonges et de lui proposer de l'aide.

Quand Graham rentrerait de Montréal, elle aurait rencontré Bernard Rivet et elle apporterait un dossier bien étoffé à l'infirmière. Graham avait proposé à Rouaix de ramener Martin de Montréal, même si elle hésitait à se mêler de cette crise familiale. Et pouvait-elle imposer un adolescent bougon à Alain Gagnon qui se faisait une joie de passer deux jours avec elle sans autres soucis que le choix d'un restaurant ou d'un film?

Alain l'avait persuadée de rentrer à Montréal avec lui après le réveillon de la Saint-Sylvestre. Deux jours sans penser au travail, sans téléphone, sans responsabilités. Maud Graham avait accepté en dépit d'un sentiment de culpabilité. Elle était soulagée à l'idée d'éviter la visite quotidienne à Rouaix. Elle ne savait plus quoi inventer pour le distraire! Il avait bien lu les dossiers qu'elle avait apportés. Dans un premier temps, il avait paru heureux d'être mêlé à l'enquête, puis il s'était impatienté: à quoi pouvait-il servir, cloué sur son lit d'hôpital?

Il s'emportait, et même si Graham savait qu'elle aurait été une malade aussi irritable, elle avait hâte que Rouaix quitte le CHUL et revienne travailler au parc Victoria, là où était sa place.

* * *

Il n'y avait presque pas de neige à Montréal quand Maud Graham et Alain Gagnon quittèrent l'appartement de ce dernier pour aller souper à La Chronique. On voyait même le béton des trottoirs, et Graham aurait pu sortir en souliers. Mais une certaine raideur dans l'attitude des passants, une manière de remonter le col de leur manteau, une presse manifeste présageaient une soirée glaciale.

Graham tint pourtant à se rendre au restaurant à pied; elle avait eu si peu de temps pour marcher ces derniers jours. Il lui arrivait souvent de rejoindre Grégoire et d'arpenter la terrasse Dufferin en sa compagnie, de monter jusqu'aux Plaines et de les traverser en bavardant avant de continuer jusqu'à la rue Cartier pour boire un verre au Jules et Jim. Mais depuis l'accident de Rouaix, ses fins d'après-midi étaient consacrées à celui-ci et elle se sentait ankylosée.

Elle inspira profondément, frissonna.

— On peut héler un taxi, suggéra Alain.

— Non, c'est un prétexte pour me coller contre toi.

Ils remontèrent la rue Saint-Denis jusqu'à l'avenue Laurier sans s'arrêter, et ils étaient tout à fait réchauffés quand ils poussèrent la porte du restaurant. Des arômes subtils de beurre fondu et de fines herbes trouvaient leur harmonie dans un décor sobrement champêtre, et Graham nota qu'un seul client fumait. Elle aurait pesté auparavant; elle appréciait maintenant les endroits où elle n'avait pas à résister à la tentation, où elle n'était pas distraite en voyant un voisin allumer une cigarette, obsédée par l'idée d'en quêter une. Elle fumait beaucoup moins depuis qu'elle avait rencontré Alain Gagnon, mais Moreau faisait exprès de tapoter son paquet de Player's quand il descendait au fumoir et elle comprenait alors qu'elle avait autant envie de fumer que de l'étriper.

Elle laissa Alain Gagnon décider du menu, car la composition de certains plats lui était peu familière. Si elle pouvait comparer toutes les pizzerias de Québec, elle ne connaissait ni les ravioles de canard à l'infusion de thym, ni les cramiques, ni le waterzoï de pintades, ni le mahi-mahi au thé au jasmin. Les choix de son amoureux furent heureux et la soirée, gourmande et douce, donna à Graham l'impression d'être en vacances.

— On devrait s'échapper plus souvent, dit-elle, avant de mendier une bouchée de tarte chaude au Jack Daniel's.

Alain Gagnon ne demandait pas mieux que d'arracher Maud à sa routine. Il savait néanmoins qu'elle aurait mille raisons de refuser une prochaine escapade quand il la lui proposerait. Il aimait un bourreau de travail. Il devinait chez Graham une peur panique de ne plus pouvoir recommencer à bosser si elle s'arrêtait, si elle descendait trop longtemps du manège quotidien pour profiter de la vie. Il ne désespérait pas de dissiper cette angoisse. Avec beaucoup de patience, il parviendrait à lui faire mettre la clé dans la porte. N'oubliait-il pas les cadavres quand il quittait la morgue ?

Elle n'avait pu s'empêcher de téléphoner à Bernard Rivet dès qu'elle avait mis le pied dans l'appartement. Ce n'est qu'après avoir convenu d'un rendez-vous avec lui qu'elle avait remarqué le bouquet de fleurs qu'Alain avait commandé à son intention. Elle s'était excusée, s'avisant qu'il avait pris la peine d'aller choisir des fleurs chez Zen, de s'arranger pour qu'un voisin ouvre au livreur et dispose le bouquet dans l'eau. Elle avait humé le parfum des freesias en le remerciant, mais Alain Gagnon devinait que son sourire radieux était dû en partie à la satisfaction d'avoir facilement joint Rivet. Et qu'il ait accepté de la rencontrer. Elle n'avait aucun mandat officiel, aucun droit. Seulement une curiosité que Rivet aurait pu juger déplacée.

Ce dernier les reçut chez lui dans la matinée. La visite de Maud Graham et d'Alain Gagnon le troublait. Il leur offrit un café, mais mit du sucre au lieu du lait dans la tasse de Graham et commença des phrases banales qu'il ne finit jamais.

Il se jeta à l'eau.

— C'est l'assistante sociale qui vous envoie ? Je n'aurais pas dû suivre Denise, c'était stupide, je le sais… Mais je ne l'ai pas touchée ! Ni Kevin ! Je n'ai jamais fait de mal à mon fils. Il s'est cassé le bras en tombant de la table de la cuisine. J'ai essayé de le rattraper, mais j'ai fait un faux mouvement.

Maud Graham avoua à Rivet qu'aucune assistante sociale ne l'avait mandatée auprès de lui. Elle le pria de lui réexpliquer l'incident impliquant Kevin et de lui rapporter tous les détails de sa dernière rencontre avec Denise. Elle s'exprimait si posément que Bernard Rivet s'exécuta sans même interroger la détective sur les motifs qui l'avaient menée vers lui.

— Parlez-nous de votre femme, de manière plus générale.

Il demanda pourquoi Graham s'intéressait tant à Denise.

— Je l'ai vue quelques fois à l'hôpital. Avec Kevin. Beau petit bonhomme… C'est dommage qu'il soit si souvent malade. Cette fréquence intrigue les médecins. Ils pensent que votre femme a besoin d'aide.

— Je lui paie une bonne pension. Qu'est-ce qu'elle me veut ? Qu'est-ce que la police vient faire…

— Ce n'est pas Denise qui nous envoie. C'est une initiative personnelle. Je n'ai pas le droit d'être ici. Il n'y a pas encore d'enquête ouverte sur votre femme. Mais je m'inquiète pour Kevin, je veux savoir pourquoi Denise nous ment.

— Pourquoi elle ment ?

— Elle raconte que vous avez été blessé en mission et que vous collectionnez les décorations.

L'homme soupira. Les décorations s'expliquaient aisément : Denise avait toujours voulu mieux que ce qu'elle avait.

— Elle a épousé un gars qui venait d'entrer dans l'armée alors qu'elle aurait voulu un général. Elle est physiothérapeute alors qu'elle s'exprime comme un médecin. Rien n'est jamais assez bien pour elle.

— Peut-elle avoir été déçue d'avoir un enfant qui est en mauvaise santé ? Elle devait souhaiter là aussi la perfection…

— Kevin est une sorte de champion à sa manière. Il ne doit pas y avoir beaucoup d'enfants qui connaissent autant d'hôpitaux. On pourrait l'inscrire dans le livre des records, baptême !

— Vous vous êtes souvent présentés à l'urgence avec lui ?

— Au début, oui. Quand il avait des convulsions, je pensais toujours qu'il allait mourir. Puis Denise m'a fait sentir qu'elle n'avait pas besoin de moi, qu'elle s'était habituée à se débrouiller toute seule pendant que j'étais en mission à l'étranger. Je ne suis pas parti si longtemps que ça, mais je n'avais plus de place en revenant.

Bernard Rivet se leva, se versa une autre tasse de café.

— Je me trompe, poursuivit-il, je n'avais pas plus de place avant mon départ. Je n'en ai jamais eu. Il y a juste les enfants qui l'intéressent. Pas moi.

Dès le début, dès leurs premiers rendez-vous, il aurait dû comprendre. Ils s'étaient fréquentés quelques mois. Ce n'était pas la passion, mais bon.

Denise était tombée enceinte. Il avait espéré qu'elle se fasse avorter ; elle avait refusé. Tant pis si elle devait élever le bébé toute seule. Il avait insisté, ils s'étaient disputés. Il ne désirait pas d'enfants avant que sa carrière soit mieux dessinée. Elle lui avait répété qu'elle se débrouillerait sans lui. Il l'avait épousée. Elle avait fait une fausse couche. Elle était de nouveau enceinte l'année suivante.

Jessica était née. Elle avait accaparé toute l'attention de Denise.

— Je croyais que c'était normal, que toutes les femmes agissaient ainsi quand elles venaient d'accoucher. D'autant plus que Denise avait fait cette fausse couche. Maintenant, avec Marjolaine, je sais qu'on peut aimer un enfant sans le surveiller sans arrêt. C'est pour ça que je veux ravoir Kevin. Pour qu'il respire un peu… Denise l'étouffe avec son amour.

— Elle n'en avait plus assez pour vous…

Rivet acquiesça ; Denise ne parlait que de biberons, de purées et de médicaments. Jessica avait fait une jaunisse à la naissance, chose fréquente chez les nourrissons, mais Denise s'était aussitôt alarmée et avait acheté des ouvrages médicaux supplémentaires.

Puis Jessica était décédée.

— Mort subite du nourrisson ? dit Gagnon.

— Je ne pouvais pas le croire. On était au chalet, il avait fait beau toute la journée. J'avais embrassé ma petite fille à huit heures moins quart. Et elle ne respirait plus à dix heures vingt-cinq. Elle ne respirait plus du tout.

Le regard de Bernard Rivet exprimait tout son étonnement douloureux ; la disparition de Jessica lui semblait tout aussi absurde après cinq ans.

— Denise a beaucoup changé après la mort de votre fille ?

— Non. Il y avait déjà eu un cas de mort subite dans sa famille.

— Ce n'est pas héréditaire, avança Maud Graham.

— C'est ce qu'on dit. Mais les médecins savent peu de choses sur les causes de ces décès. Ce n'est pas si simple. J'ai lu sur le sujet après… Quand Kevin est né. J'avais si peur que ça se reproduise. Je me réveillais toutes les nuits pour aller vérifier sa respiration. Je craignais toujours de quitter la maison la première année. Comme si ça pouvait le protéger… J'étais endormi dans le salon quand Jessica est morte et je ne m'en suis pas aperçu.

— Vous vous inquiétez pour Kevin ? Avez-vous parlé avec son pédiatre ?

— Lequel ? Denise change de médecin sans arrêt. Aucun n'est assez compétent pour s'occuper de Kevin ! Voyons, ce ne sont pas tous des imbéciles. J'ai essayé de lui démontrer que Kevin serait plus rassuré s'il voyait toujours la même personne.

Elle ne m'écoute pas. Elle ne m'a jamais écouté. Pas moyen de placer un mot avec elle. Elle sait tout. M'accuse de tout.

— Vous accuse ? Vous faites allusion au bras cassé ?

Bernard Rivet ricana. Elle l'avait assez tourmenté avec cette histoire.

— Comme si j'avais fait exprès !

Il se gratta la tête avant d'interroger Graham. Pourquoi Denise lui mentait-elle, *à elle* ?

— Ce ne sont pas seulement ses mensonges. Elle a quitté le CHUL sans autorisation. Ce départ précipité a vraiment contrarié les médecins.

— Quoi ? Pourquoi a-t-elle voulu quitter l'hôpital ?

— Elle a parlé d'une crise d'angoisse, d'une attaque de panique.

— De panique ? s'écria Bernard Rivet. Denise ? Ce serait bien la première fois qu'elle perdrait son sang-froid. Je ne sais pas ce qui lui a passé par la tête : elle n'est jamais aussi heureuse qu'à l'urgence !

— Elle aurait sans doute voulu être médecin, commenta Graham. J'ai de la difficulté à admettre qu'on puisse aimer aller à l'hôpital. Moi, ça me rend... mal à l'aise.

— Je n'aime pas ça non plus, avoua Bernard Rivet. Ça doit être pour ça que je n'insistais pas assez pour accompagner Denise quand elle partait avec Kevin. Par chance, quand j'ai réussi à l'avoir, une fois, une seule petite fois, il n'a pas été malade. J'ai eu peur d'avoir des problèmes, car je ne lui ai pas toujours donné tous les médicaments que Denise avait mis dans sa petite valise : Marjolaine trouvait que c'était exagéré.

— Elle a une fillette ? supposa Graham en remarquant une poupée aux cheveux blonds couchée sur le canapé.

— Oui, un amour de quatre ans qui pète le feu. Justine a des bobos comme tous les enfants, mais rien qui ressemble à ce que vit Kevin. Marjolaine ne connaît pas son bonheur. On se sent impuissant, vous savez, quand notre enfant souffre. Je comprends que Denise cherche des réponses dans les livres de médecine. Même si ça ne sert pas à grand-chose : Kevin est de plus en plus souvent malade. Je saurais pourtant m'en occuper. Quand vous la reverrez, dites-lui qu'elle n'a pas fini d'entendre parler de moi. Et qu'elle arrête d'essayer de vous faire croire qu'elle panique. Ces mensonges sont ridicules ! C'est de famille. Sa mère aussi arrange la vérité à son goût. À Baie-Comeau, je suis certain que personne ne sait que sa fille Denise a divorcé. Elle l'a toujours surprotégée.

— Et son père ?

— Il s'écrase dans son coin. Il fait des hameçons. Qu'est-ce que je dois faire avec Denise, maintenant ?

— Vous m'avez déjà beaucoup aidée en nous parlant d'elle.

Comme Maud Graham se levait, Bernard Rivet l'arrêta :

— Je peux vous signer tout de suite des papiers qui vous donneraient plus de liberté en ce qui concerne Kevin. D'accord ? Je peux aussi vous suivre à Québec. Si Kevin est en danger, il n'y a rien qui va me retenir ici ! Dès que Marjolaine rentre du travail, je pars. Le temps de lui expliquer...

Graham interrompit Bernard Rivet ; son intervention risquait de tout compliquer.

— On va régler ça très vite et vous tenir au courant. Je m'engage personnellement à vous appeler : vous interviendrez à ce moment-là.

Elle dut insister pour qu'il se range à sa proposition et lui remit sa carte en notant son numéro de téléphone personnel au dos.

* * *

Denise Poissant avait attendu près d'une heure avant de voir le Dr Gendron. Elle l'avait déjà rencontré dans ce CLSC ; il l'avait écoutée patiemment et lui avait prescrit du Paxil après le décès de Jessica. Il allait bientôt prendre sa retraite et Denise le regretterait. Elle aimait ses petites lunettes rondes et sa grosse moustache blanche. Le Dr Gendron lui rappelait le père Noël, personnage auquel elle avait cru jusqu'à ce qu'elle reçoive une dînette au lieu d'une trousse de médecin au réveillon de ses six ans.

Elle avait toutefois emmené Kevin au centre commercial et avait pris des photos du petit sur les genoux du père Noël. Il était pâle sur les clichés, mais souriait gentiment en flattant la barbe du gros homme. Ce dernier avait été manifestement engagé pour son obésité. Sa surcharge pondérale impressionnante lui valait un emploi saisonnier, mais il devait souffrir de maux de dos et une opération, s'il était victime d'un accident cardio-vasculaire, serait plus compliquée à cause de la masse de graisse. Il riait aujourd'hui en faisant sauter les enfants sur ses grosses cuisses, mais demain ? Elle ne permettrait jamais que Kevin fasse de l'embonpoint. Elle-même surveillait son poids avec vigilance ; heureusement qu'elle était grande. Sa forte poitrine la faisait paraître plus ronde, mais elle n'avait que du muscle. Des médecins lui avaient dit que Kevin était petit pour son âge ; elle rétorquait alors que son mari mesurait six pieds. Et elle cinq et neuf. Son fils pousserait tout d'un coup, comme elle, à l'adolescence.

Kevin avait joué avec le camion rouge qu'elle lui avait acheté pour Noël. Il y installait Rosie ou le chat en peluche que lui avait donné la détective et les promenait autour du salon. Il ne courait jamais très longtemps. Dès qu'il s'essoufflait, Denise l'obligeait à se caler dans un fauteuil pour se calmer. Elle lui tendait un livre d'images ou mettait un film dans le magnéto-scope. Il pouvait regarder les dessins animés durant des heures et des heures. Elle ne partageait pas sa passion pour les bêtes ; elle avait menti à Maud Graham en prétendant que Kevin était allergique aux animaux. Il avait flatté le chat de la voisine sans avoir aucune réaction. Denise n'avait tout simplement pas envie de se charger d'un souci domestique supplémentaire. Sa maison était impeccable et le resterait ; la détective avait été impressionnée en voyant l'ordre qui régnait dans son salon.

Denise s'était interrogée sur les motivations de Graham. Est-ce que le cadeau servait de prétexte à la détective pour rendre visite à Kevin, voir où il vivait, fouiner? Pourquoi? Denise avait eu beau se répéter que Kevin ne pouvait pas se plaindre de ses traitements, elle avait pourtant fait de l'insomnie et s'en ouvrait maintenant au Dr Gendron.

— On dort très mal, docteur.

— « On » ?

— Moi et Kevin. Il se réveille la nuit.

— Et vous avez ensuite de la difficulté à vous rendormir, c'est ça? Il est vrai que vous avez eu une année éprouvante, Denise… avec cette séparation et Kevin qui est souvent malade. Je vais vous prescrire de l'Ativan et j'espère que vous en prendrez.

— Je suis venue ici pour ça et…

— Je sais, mais je devine que vous redoutez qu'il arrive quelque chose à Kevin durant votre sommeil. C'est normal après ce que vous avez vécu. Il faut néanmoins que vous dormiez! Vous êtes épuisée. Comment pourrez-vous continuer à le soigner si vous tombez malade? A-t-il été vacciné contre la grippe?

— Bien sûr, mentit Denise.

— Il va s'en sortir. J'ai connu des enfants qui attrapaient toutes les saloperies de virus et qui sont aujourd'hui en parfaite santé.

Le pharmacien qui préparait son ordonnance s'enquit gentiment de Kevin. Il avait l'habitude de discuter de sirops, de laxatifs ou de pulvérisateurs avec Denise.

— Il est mieux aujourd'hui. Il est sorti dans la cour avec sa gardienne.

Il s'enrhumerait peut-être dans la neige?

Kevin riait aux éclats quand Denise rentra à la maison. Elle prit tout son temps pour ranger ses courses; elle avait engagé Émilie Sansfaçon pour l'avant-midi. Elle aimait bien Émilie, la fille des voisins. L'adolescente n'était pas très futée et même lente d'esprit, mais elle rangeait toujours la chambre de Kevin avant de partir. Et Mme Sansfaçon ne manquait pas de remercier Denise de confier des responsabilités à sa fille, chaque fois qu'elle la croisait au supermarché.

— Votre confiance touche Émilie, elle se sent utile.

— Elle est très bien élevée, répondait invariablement Denise Poissant.

— Ce n'est pas comme les jeunes qui habitent dans l'immeuble en face de chez vous. L'hiver, ça peut toujours aller, mais l'été, avec les fenêtres ouvertes, on entend leur musique à n'importe quelle heure. J'ai déjà prévenu la police, vous savez.

Oui, Denise Poissant savait. Elle était en train d'habiller Kevin dans la maison pour l'emmener à l'hôpital quand une voiture de police avait surgi au bout de la rue. Un patrouilleur lui avait demandé si c'était elle qui avait déposé une plainte. Elle avait soulevé Kevin dans ses bras d'un air harassé : elle avait des préoccupations plus graves qu'un niveau de décibels trop élevé. Le patrouilleur lui avait offert de l'accompagner au CHUL, mais elle avait décliné son offre. L'idée d'arriver avec une telle escorte à l'hôpital ne lui aurait pas déplu si elle n'avait craint que des voisins le mentionnent à Bernard et qu'il complique tout en lui reprochant de ne pas l'avoir appelé.

Elle secoua le flacon contenant les comprimés d'Ativan ; elle avait ce qu'il fallait pour dormir. Et endormir.

Chapitre 7

— Alors? demanda Trottier à Graham. Tu as profité de ton séjour à Montréal? Tu as l'air reposée. Salut, Berthier!

Maud Graham se renseigna sur l'état de santé de son collègue.

— Tu vas mieux?

— Je l'espère!

Elle lui sourit avant de gagner son bureau où s'amoncelaient les messages reçus en son absence.

— Et Luc Lapierre, Trottier, on a du neuf?

— Non. C'est sacrant d'imaginer qu'il se promène en liberté quand on sait qu'il est un maillon important dans des trafics...

— Pas de preuves, pas de condamnation.

Graham grimaça en buvant son café froid, se jura pour la centième fois de s'acheter un thermos et de le remplir chaque matin de thé vert au lieu de s'imposer le jus de chaussette de la distributrice.

— Le café est encore pire qu'avant, fit Berthier. Sa seule qualité, c'est d'être chaud.

— Et encore...

— Vous vous intéressez toujours à Lapierre? Il s'est calmé après son arrestation. Il a vraiment eu peur de rester en dedans. Si l'arme n'avait pas disparu...

— Qu'est-ce qui s'est passé? J'étais en vacances au début du procès.

Berthier fit une moue d'impuissance; le saurait-on un jour? L'arme qui incriminait Lapierre s'était volatilisée. On avait enquêté sans éclaircir le mystère. Il penchait pour une complicité. De l'intérieur.

— De l'intérieur? Vous devez avoir interrogé tout le monde.

— Évidemment, une arme ne se volatilise pas si facilement! Il y a eu plein de changements au poste pendant cette période-là. Mais ni moi ni Moreau ne pourrions accuser un tel ou un tel. Lapierre s'en est sorti en riant. Cela dit, il se tient tranquille maintenant.

— Tranquille où?

— Il n'est plus dans la Beauce?

— On essaie de le joindre depuis une semaine, sans succès. Il est mêlé à l'affaire Desrosiers. À Saint-Roch.

— Ah oui? Ta source, Graham. Quel est le lien avec Lapierre?

— Les types qui ont tiré sur Desrosiers ont dit qu'il avait vendu Lapierre. C'est faux, Desrosiers ne m'a jamais parlé de Lapierre. Je veux donc la version de ce monsieur. C'est le principal intéressé, non? S'il nous cachait un détail important?

— Comme quoi?

— Il sait quelque chose sans savoir qu'il le sait.

— Et c'est ça qui stresserait Lapierre? hasarda Berthier.

— Et si c'était justement la preuve de sa culpabilité? dit Trottier. Si Desrosiers savait qui a subtilisé l'arme?

— Comment?

— Il peut avoir appris qui l'a volée, insista Trottier. On ne lui a pas tiré dessus pour rien!

— Il a toujours fait allusion à Joss Wilson, répéta Graham. On voulait le meurtrier de l'avocat Girard. Quel est le lien avec Lapierre? Lapierre n'était pas défendu par Girard.

— Mais son patron l'a été. Marcotte a employé Lapierre, vrai ou faux?

— Il a quand même tué quelqu'un, dit Graham.

— Oui, convint Berthier. Mais pas sur l'ordre de Marcotte. C'est une chicane qui a mal tourné. Entre nous, on a été débarrassés d'un motard, c'est tout...

Maud Graham ne partageait pas l'opinion de Berthier. Si la plupart des gens croyaient que les policiers se moquaient de la mort des criminels, ils se trompaient: quand un membre d'un gang était assassiné, ses frères pouvaient interpréter le crime comme une déclaration de guerre. Il s'ensuivait d'autres règlements de compte. Que payaient parfois des innocents. Quand on faisait exploser une voiture, on se souciait peu que des étrangers à cette vengeance soient atteints.

Si Graham n'était pas attristée par le décès d'un criminel, elle ne le redoutait pas moins. Berthier faisait preuve d'immaturité, de légèreté.

— On voulait profiter du fait que Lapierre avait tué quelqu'un pour l'envoyer en dedans pour longtemps, confia Berthier. C'était moins le meurtre qui nous dérangeait que son beau travail de chimiste.

— Vous l'aviez déjà embarqué pour ça, non ?

— Oui, Graham, mais il était vite ressorti. Le sixième de peine… On n'a pas pu prouver qu'il appartenait au crime organisé. Son avocat a démontré qu'il n'était pas dangereux. Il a purgé juste un petit bout de sa sentence…

— Et là, vous l'accusez de meurtre, mais il est relâché parce qu'on a perdu les pièces à conviction. Il est chanceux, ce gars-là. Il joue au casino.

— Tu ris ? Il a déjà gagné vingt mille piastres à la loterie ! C'est écœurant.

— Déjà qu'il doit se faire un bon salaire comme chimiste pour les motards.

Berthier secoua la tête ; Lapierre s'était rangé. Il avait vraiment eu une bonne frousse.

— N'empêche, j'aimerais bien piquer une jasette avec lui. Tu ne sais vraiment pas où on peut le trouver ?

— Non. Moi, j'aime autant l'oublier. C'est un mauvais souvenir.

Maud Graham relut consciencieusement les dossiers de Lapierre, Marcotte, Wilson et les referma, deux heures plus tard, avec un sentiment d'impuissance : il y avait trop de monde dans cette affaire. Des liens existaient entre ces criminels, mais ils n'expliquaient pas l'attentat contre Desrosiers. Desrosiers, un petit naïf qui grattait sa guitare entre deux *deals* de drogue. Il n'avait même jamais vendu de poudre. Qui avait-il dérangé au point qu'on veuille le faire disparaître ? Il avait marché sur la queue d'un lion ; Graham devait savoir qui rugissait. Et si les griffes du félin allaient déchirer de nouveau la chair de Desrosiers. Et de Maxime.

Si Desrosiers gênait avant l'agression, il dérangerait encore plus en ressuscitant. Elle devait le convaincre de tout lui raconter.

Elle s'apprêtait à partir pour l'Hôtel-Dieu de Québec quand Nicole Rouaix l'appela pour lui signaler que le clown Grimace était revenu au CHUL.

— Tu m'avais dit de te prévenir. Il partait quand je suis arrivée. Il m'a parlé des malades avec gentillesse. Surtout de la petite Élodie. Il n'a pas mentionné Maxime.

— Il l'a quand même vu ?

— Oui, mais il ne l'a pas dévoré… Excuse-moi, je suis impatiente.

— À cause de Martin ?

— J'ai essayé de discuter avec lui. Il répond que j'ai raison, que son père a raison, que tout le monde a raison et que lui est un raté. Mais c'est tout. Je veux seulement qu'il vienne voir André ! Je ne peux pas le traîner de force !

La voix de Nicole avait des inflexions aiguës qui alarmèrent Maud Graham. L'infirmière semblait sur le point de pleurer.

— Veux-tu que je parle à Martin ?

— Tu l'as fait en revenant de Montréal, sans résultat. Tu es gentille, mais c'est notre problème. Une chance que vous continuez tous à venir voir André. Ça lui change les idées. Son travail lui manque de plus en plus. Tu as bien fait de lui apporter des dossiers, même s'il dit qu'il ne sert à rien. Berthier est passé ce matin.

— Ah oui ? Il ne m'en a pas parlé. Josette devrait y aller tantôt.

— Josette, la répartitrice ? La belle brune ?

— Elle n'est plus brune, mais blonde, et elle est toujours aussi jolie. Si tu voyais ses enfants ! De vrais chérubins, presque trop beaux.

— Je préfère ne pas la voir, elle va me donner des complexes.

— En plus, elle est adorable. Elle ne se rend même pas compte de sa grâce.

— Arrête, j'ai assez de problèmes à vivre avec l'idée que vous trouvez que je ressemble à Denise Poissant.

— Juste un peu, protesta la détective. C'est à cause de ses cheveux.

Nicole eut un petit rire qui fit plaisir à Maud Graham.

— Je vais prendre rendez-vous chez le coiffeur. Ça me fera du bien. J'ai répété au Dr Mathieu ce que tu as appris par Bernard Rivet. Il va voir Marie-France Pagé demain pour discuter d'une plainte à la DPJ. C'est le meilleur moyen pour savoir à quels hôpitaux Denise Poissant s'est présentée. Et quand.

— Bernard Rivet m'a téléphoné. Il voulait venir à Québec, mais je l'ai convaincu d'attendre que je lui fasse signe. S'il s'énerve, s'il s'en prend à son ex-femme, ça va tout compliquer. Et il aura peut-être de la difficulté à obtenir la garde de Kevin. Un travailleur social ira le visiter à Montréal pour vérifier si on peut lui confier son fils. Il faut que tout se passe bien d'ici là, qu'il ne commette pas de faux pas. Ce serait préférable que Kevin le rejoigne au lieu d'atterrir dans une famille d'accueil. Il a assez souffert avec sa mère. Elle va revenir bientôt chez vous. Je suis prête à parier cent dollars. Vous l'obligerez à consulter…

Nicole contredit Maud Graham : on ne pourrait jamais forcer Denise à s'entretenir avec un psychologue ou un psychiatre à moins qu'elle ne tienne des propos totalement incohérents ou qu'elle ne fasse une crise de démence au CHUL. Ce qui ne se produirait sûrement pas !

— Elle a un discours plutôt logique et les faits démontrent qu'elle s'occupe de son enfant. Elle le nourrit, le lave, l'habille, sa maison est impeccable. Kevin n'a aucune trace de coups, de brûlures de cigarettes ou autres horreurs du genre. Ce sera très difficile de prouver… Quoi au juste ? Qu'elle vient ici trop souvent ? Qu'elle nous ment ? Elle nous a menti, c'est vrai, mais elle n'est pas la seule patiente à le faire. C'est humain.

— Et bizarre. Je viens chercher Maxime ce soir.

— Il va voir André tous les jours après le dîner. Ils jouent aux échecs. Ils s'entendent vraiment bien.

— Qui ne s'entendrait pas avec Rouaix ? fit Graham.

— Et avec Maxime ?

Maud Graham n'avait plus qu'à rentrer chez elle pour préparer la chambre de Maxime. Elle s'était entendue avec Léa et Danielle, ainsi qu'avec les parents de Joseph et la mère de Philippe, pour leur laisser l'enfant quand elle travaillait. Quand il retournerait en classe, ce serait un peu plus simple, car l'école était située tout près de la centrale du parc Victoria. Léa lui avait fourni une liste de gardiennes de leur quartier, au cas où elle devrait sortir le soir ou faire des heures supplémentaires.

— Mais elles ne sont pas nécessairement libres au moment où tu en as besoin. Dans ce cas, appelle-moi...

Maud Graham avait remercié son amie. Sans elle, la garde de Maxime serait plus compliquée.

Elle comptait également sur Grégoire. Elle l'avait rejoint plus tôt et l'avait invité à manger avec Maxime et elle, à la maison.

— On se fera livrer une pizza.

— Non, je vais cuisiner. Max doit bien manger. Je serai là à cinq heures.

Grégoire se présenta à dix-sept heures trente. Graham ne voulait surtout pas savoir comment il avait employé la dernière demi-heure.

— Je ne pouvais pas refuser ; le gars me payait le double du prix pour un *blow job*. Qu'est-ce que tu aurais fait à ma place ?

— Grégoire !

— Regarde ce que j'ai acheté chez Archambault. Je l'ai payé, je te le jure, je peux te montrer la facture.

S'il n'avait pas cessé de se droguer, il ne volait pratiquement plus dans les centres commerciaux où il avait l'habitude de travailler. Au début de sa relation avec Graham, il lui avait avoué qu'il avait d'abord volé par nécessité, puis pour l'excitation, et qu'il le faisait maintenant par désœuvrement, pour se distraire entre deux clients.

— J'ai besoin de sortir des toilettes de temps en temps. Des fois, je pogne juste en m'arrêtant devant une vitrine de magasin. Une vitrine bien éclairée, qu'on voie mon beau petit cul.

Il extirpait de son sac à dos un disque de Daniel Bélanger.

— Tu vas aimer ça. C'est le meilleur de tous les chanteurs québécois, certain ! On dirait qu'il nous aime… Ça me fait toujours du bien de l'écouter.

Il se dirigeait vers la chaîne stéréo, posait le disque.

— Veux-tu un poulet au citron pour souper, Biscuit ? J'ai acheté du riz, au cas où.

— Tu aimes vraiment faire la cuisine ?

Tout en fouillant dans le réfrigérateur, Grégoire se moquait de Graham qui était angoissée à la perspective de griller un steak.

— Ma mère était une cuisinière exécrable, plaida Maud Graham.

— La mienne n'essayait même pas de cuisiner.

— Mais ton père est…

— Où est l'ail ? T'en avais l'autre jour.

Il ne serait pas encore question du père de Grégoire. Ce dernier était si discret au sujet de son géniteur que Graham ignorait jusqu'à son prénom. Elle savait seulement qu'il travaillait dans les cuisines d'un restaurant montréalais et que Grégoire ne l'avait pas vu depuis des années. Il lui reprochait toujours d'avoir quitté la maison et d'avoir ainsi permis à l'oncle Bob de s'installer à sa place. Et d'abuser de lui.

— De l'ail ?

— Va donc plutôt chercher Maxime au CHUL, qu'on ne mange pas trop tard. Je ne vais pas traîner toute la soirée ici.

Elle ne se fit pas prier. En sortant, elle scruta le ciel, espérant y deviner des promesses de neige, mais les étoiles clouaient un ciel d'ébène et Graham songea que les hivers étaient bien différents de ceux de son enfance. Elle se sentit vieille, et le frisson qui la traversa quand elle s'assit dans sa voiture accentua cette impression; elle devenait plus frileuse avec les années. Alain l'avait taquinée et lui avait offert une couverture chauffante.

Il ne l'avait pas désapprouvée quand elle avait décidé de servir de famille d'accueil à Maxime en attendant que l'avenir de son père se précise.

— À condition que ça ne nous empêche pas de nous voir, avait-il dit.

Avait-elle raison d'aller chercher Maxime? Pour s'en convaincre, elle se répétait qu'elle pourrait mieux le protéger s'il vivait chez elle. Elle lui parlerait du clown dès qu'ils seraient de retour rue Holland. Elle le mettrait en garde contre les inconnus.

Il devrait être plus méfiant après l'agression dont il avait été victime.

* * *

Graham s'arrêta pour saluer Rouaix et récupérer un des dossiers qu'elle lui avait laissés.

— J'ai fini de remplir ta paperasse.

— Tu es un ange.

— Non, je m'ennuie! Apporte-moi autre chose, Graham, n'importe quoi pour m'occuper. J'ai eu le temps de repenser à ton affaire. Desrosiers n'avait pas à frayer avec Marcotte et Wilson. Ce ne sont pas des enfants de chœur. Si Desrosiers chante des cantiques, eux s'endorment plutôt au son des coups de feu et des pétarades de leurs motos.

— Si Desrosiers ne me dit pas tout demain, je vais l'étriper moi-même. Il a le choix de ses bourreaux : les tueurs ou moi. Son entêtement prouve son inconscience.

— Tu es de mauvaise foi, Graham. Il est terrorisé. Il a raison. Peux-tu garantir sa sécurité?

— J'héberge son fils.

— Manipulatrice! Tu sais très bien que tu veux garder Maxime parce que tu l'aimes.

— Je vais le protéger. Nicole t'a dit que le clown est revenu?

— Tu crois vraiment qu'un motard se déguiserait pour venir jaser avec Maxime?

— On a une idée fausse des gangs. Leurs membres n'ont pas tous de gros bras tatoués et des chaînes. Ça prend des cols blancs pour gérer l'argent. Et le clown peut être aussi un élément qu'on utilise comme on a utilisé Bruno Desrosiers.

— Pourquoi?

— Pour me distraire du but véritable. Pour que je m'occupe de ceux qui ont tiré sur Desrosiers au lieu de m'acharner à trouver qui a tué Girard. Souviens-toi que le meurtre était prémédité. L'assassin connaissait les habitudes de l'avocat pour le descendre si tôt le matin alors qu'il faisait son jogging. Quand on a enquêté, tu disais toi-même que l'organisation était parfaite. Et c'était vrai. On n'a abouti à rien jusqu'à maintenant.

— Mais tu continues à chercher… Tu déranges.

— Qui? Qui a pu commanditer cet assassinat? dit Graham. Retournons en arrière: Jasmin enquête sur un trafic de drogue, Desrosiers m'apprend qu'il y a une livraison au chalet du juge Plante. En son absence. Je transmets l'info à Jasmin parce que c'est son dossier. Moi, ce qui m'intéresse, c'est un des vendeurs. Parce que je crois que c'est Wilson et qu'il a tué l'avocat Girard. Mais comme je ne peux pas le prouver, je veux que Jasmin arrête mon suspect et qu'on puisse l'accuser de trafic de drogue.

Elle se massa les tempes avant de secouer la tête.

— On n'arrive à rien. Sauf au juge Plante. Mais il était en Europe quand on a utilisé son chalet. Ils ont tout cassé. Tu ne penses tout de même pas que le juge est complice?

— Et pourquoi pas? souffla Rouaix.

— Il y a eu vérifications et revérifications, interrogatoires et reinterrogatoires. C'est parce que le juge fait partie du système judiciaire qu'il n'a pas porté plainte contre Jasmin, qui le dérangeait sans arrêt. Parce qu'il devait admettre que Jasmin faisait du bon travail.

— Ou parce qu'il avait confiance en ses complices : les deux gars que Jasmin a arrêtés n'ont jamais parlé ! Pas un mot. Ils ont été condamnés sans rien dire.

— Mais Desrosiers m'avait avertie qu'il y aurait quatre hommes. On en a donc perdu deux. Dont Wilson, j'imagine…

— Renseigne-toi sur les deux gars de Jasmin. Même si ça nous fait encore plus de monde dans le dossier. C'est la tour de Babel !

Graham attrapa son manteau d'une main, le dossier de l'autre, quand un sifflement venant du couloir la surprit.

— Josette ?

La répartitrice de la centrale du parc Victoria pénétrait dans la pièce en souriant.

— Tu ne peux pas te passer de ton partenaire, hein, Graham ?

Josette s'approcha du lit, tendit une boîte ornée d'une boucle à Rouaix.

— Je t'avais promis des truffes au whisky.

— C'est trop gentil. Tu me gênes…

— Mon mari m'en a réclamé aussi. Servez-vous.

La détective louchait vers les friandises, supputant le nombre de calories par bouchée.

— Non merci, je n'ai pas encore mangé. Je vais d'ailleurs chercher Maxime tout de suite. Grégoire pourrait s'impatienter !

Graham quitta la pièce avec un sentiment de victoire. Elle avait résisté aux truffes de Josette.

André Rouaix, lui, en mangea trois tandis que Josette l'interrogeait sur Maxime et Grégoire. Graham gardait-elle les enfants d'une amie ? Il la détrompa, émit des réserves ; sa partenaire trouverait la maison bien vide quand Maxime repartirait avec son père.

— Tu t'inquiètes toujours autant pour elle.

— C'est réciproque. Elle vient me voir au moins une fois par jour. Elle sait que je m'ennuie.

Josette ouvrit son sac à main, tendit un paquet de photos à Rouaix.

— Ça va te distraire. Les dernières vacances de pêche de Claude. Il a attrapé un saumon de vingt livres. Il n'était pas plus fier quand nos enfants sont nés ! J'ai montré les photos à Moreau et à Berthier. Ils en bavaient !

— Berthier va mieux ?

— Pas fort. Il prend des antibiotiques qui l'abrutissent. Il ferait mieux de rester chez lui au lieu de s'obstiner à venir travailler. C'est vrai qu'il ne peut pas sortir son bateau en plein hiver. Et comme il n'y a que ça qui compte… Je comprends sa femme de l'avoir quitté. Claude aime la pêche, mais quand même pas plus que moi et les enfants. Leur couple devait être déjà chambranlant.

Rouaix admirait les photos des pêcheurs exhibant fièrement leurs prises et sourit. L'été reviendrait, il marcherait normalement et pourrait faire du portage, partir en canot dès l'aube et rapporter des truites pour le dîner.

— Claude va bientôt réserver le camp de pêche : si ça te tente, tu n'as qu'à l'appeler. Mon frère n'ira pas avec lui cette année. Il part en Europe.

Rouaix hocha la tête ; la nature était sauvage, telle qu'il l'aimait. Il apprécierait sûrement ce territoire où Claude pêchait depuis des années. Il rendit les photos à Josette, mais l'une d'elles glissa vers le sol. Il tenta de l'attraper, échappa les autres. Josette se pencha pour les ramasser, elle perdit l'équilibre et Rouaix la retint juste au moment où elle allait tomber sur lui.

— Attention à mes côtes.

Elle lui tapota le ventre, dit qu'il y avait assez de graisse pour les protéger. En riant, elle se baissa pour récupérer les images. Ses longs cheveux balayèrent le visage de Rouaix qui se mit à rire.

— Tu me chatouilles !

Ni elle ni Rouaix ne s'étaient aperçus qu'on les observait.

Martin courut au bout du corridor. Qui était cette femme que son père enlaçait et qui l'amusait tant ? Qui était cette jolie blonde qui semblait si intime, si familière avec lui ?

Comment pouvait-il se comporter ainsi ? Dans les lieux mêmes où sa femme travaillait ? Martin s'était préparé à entendre un sermon sur sa conduite le soir du réveillon et il découvrait que son père n'était pas un saint, mais un dragueur. Un hypocrite. L'homme que sa mère adorait, comprenait et soutenait depuis des années leur mentait !

Il était si troublé qu'il tambourina sur les portes de l'ascenseur cinq secondes après avoir appuyé sur le bouton d'appel. Un préposé lui posa une main sur l'épaule pour tenter de le calmer, mais Martin le repoussa et courut vers les escaliers. Il les dévala et se retrouva dehors, éberlué.

Son père trompait sa mère. Elle le plaignait d'être coincé à l'hôpital, alors que sa maîtresse avait le front de venir le visiter !

Martin traversa le boulevard Laurier sans prendre garde aux feux de circulation et deux automobilistes qui l'évitèrent de peu klaxonnèrent avec rage, mais il ne les entendit pas. Il marcha jusqu'au campus de l'Université Laval, passa devant les pavillons Vachon et de Koninck, atteignit le chemin Sainte-Foy sans ralentir son rythme, malgré le vent qui s'était levé et qui promettait moins vingt degrés pour la nuit. Des étudiants qui chahutaient à l'arrêt d'autobus le tirèrent de sa torpeur. Ils parlaient de leurs cours qui reprendraient dans quelques jours et Martin se rappela les remarques de son père sur ses études. Il aurait dû choisir plus de matières scientifiques, se forcer davantage en maths et en anglais au lieu de s'évertuer à apprendre l'allemand. Martin avait protesté, lancé à Rouaix qu'il était raciste, qu'il avait hérité de la haine de son propre père pour les Boches qui avaient bombardé la Champagne. Rouaix avait quitté la pièce avant de le gifler et Nicole avait reproché à Martin son injustice.

Que dirait-elle maintenant si elle savait qu'il étreignait une autre femme dès qu'elle avait le dos tourné ? L'impudence de son père le stupéfiait à un point tel qu'il décida de boire une bière avant de rentrer. Comment affronter le regard interrogateur de sa mère quand elle le verrait revenir avec le cadeau destiné à son époux ? Elle s'emporterait, et il devrait résister à l'envie de tout déballer pour se défendre.

Car il ne parlerait pas ce soir-là de ce qu'il avait vu. Il avait besoin de réfléchir. Est-ce que Maud Graham connaissait cette liaison ? Non, sûrement pas, s'il se fiait aux éloges qu'elle avait faits sur son partenaire quand ils étaient revenus de Montréal. Il la trompait elle aussi.

Martin revoyait la chevelure blonde de la femme effleurer le torse de son père, sa taille fine, sa jupe courte, ses hautes bottes de cuir ; elle devait être assez jeune. Que trouvait-elle à André Rouaix ? Était-elle jolie ? Il ne l'avait vue que de dos.

Il s'en foutait. Qu'elle ait un visage d'ange ou non ne changeait rien à sa manière de se coller contre son père.

Il entendait le rire de Rouaix. Était-ce si drôle de tromper sa femme ?

Au Foubar, Martin répondit par monosyllabes à ses amis déjà assis au comptoir. Il but deux bières, trop rapidement, en observant les clients qui entraient et sortaient. La porte se coinçait parfois et quelqu'un s'empressait de la refermer. Certains pestaient contre les rigueurs du temps, des sportifs s'en réjouissaient ; les pistes de ski seraient mieux entretenues, la glace des patinoires uniforme. C'était Rouaix qui avait enseigné le patin à Martin, les rudiments du hockey, qui lui avait offert un bâton en fibre de verre, acheté un équipement pour ses dix ans, qui avait fait le tour des arénas de la province de Québec avec lui sans jamais montrer aucun signe de fatigue malgré des levers aux aurores. Il avait même été déçu que Martin quitte l'équipe l'année de ses quinze ans. Ils n'avaient plus patiné ensemble depuis.

Rouaix continuait à jouer avec ses collègues une fois par semaine.

Jouait-il réellement ? Ou les parties servaient-elles d'alibi à des sorties avec la blonde aperçue à l'hôpital ?

Qui était son père ?

Il commanda une troisième bière en espérant que sa mère soit couchée quand il rentrerait.

* * *

Nicole était effectivement couchée quand elle entendit Martin insérer la clé dans la serrure. Minuit quarante-deux. Devait-elle se lever pour lui demander comment s'était passée la rencontre avec son père ? Martin devait être allé rejoindre des amis ensuite pour boire une bière et bavarder avec eux. Pour se plaindre d'André ou pour s'amuser, soulagé, satisfait d'avoir parlé avec lui ?

Elle se redressa dans son lit, posa le pied droit au sol, mais se ravisa. Martin croirait qu'elle avait guetté son retour et dirait qu'il n'était plus un enfant. Elle s'enfonça sous les couvertures en soupirant et mit du temps à se rendormir.

Elle fut pourtant la première levée et, quand elle tira les rideaux du salon, elle découvrit le paquet destiné à son mari sur le canapé, à côté de l'anorak de Martin. Il n'était pas allé voir son père comme il l'avait promis ?

Elle poussa la porte de sa chambre, constata le fouillis, sentit une odeur de renfermé et d'alcool et se précipita vers la fenêtre pour aérer. Un grognement monta du lit, Martin tendit une main pour se protéger de la lumière.

— Qu'est-ce qui se passe ?

Nicole jeta le paquet sur le lit de Martin.

— Tu n'es pas allé à l'hôpital.

— Oui.

— Et le cadeau ?

Martin avait répondu oui trop vite. C'était de la faute de Nicole, elle n'avait pas à le houspiller si tôt le matin.

— Le cadeau ? Ah, le cadeau…

Elle attendait une explication qui la rassurerait. Il cherchait une explication qui épargnerait Nicole.

— Il avait de la visite. Je n'ai pas voulu déranger. J'ai entendu des gens qui riaient. Je savais que papa était fâché contre moi à cause de l'auto. J'aurais eu l'air de profiter de la situation pour lui remettre son cadeau sans qu'il me fasse de sermon. J'étais gêné. Je suis ressorti. Mais j'y suis allé, tu pourras vérifier, j'ai croisé Jeanne dans l'ascenseur en montant.

— Martin… Oh, Martin, tu te compliques la vie !

Elle ne savait pas si bien dire, songea-t-il. Mais ce n'était pas lui qui compliquait leur existence ; son père s'en chargeait.

— J'irai à l'hôpital demain.

— Demain ?

— Je vais faire du ski aujourd'hui, maman, je t'en ai parlé. C'est arrangé depuis des semaines.

Elle soupira, ravala ses commentaires. Au moins, Martin s'était rendu jusqu'à la chambre d'André. Il en franchirait le seuil la prochaine fois. Ils finiraient par s'expliquer. « Patience et longueur de temps font plus que force ni que rage… »

Nicole pensait toujours à Martin quand elle quitta la maison ; elle glissa sur une plaque de glace et jura. Son fils n'avait pas saupoudré l'entrée de sel comme elle le lui avait demandé. Elle faillit retourner sur ses pas, secouer Martin, oublier ses résolutions de patience, mais elle était déjà en retard.

Elle se changea rapidement en arrivant au CHUL, puis consulta la feuille des admissions avec attention. Jenny subirait une greffe aujourd'hui et Kim, une ponction lombaire. Il faudrait bien les entourer, tenter de les rassurer. Et David qui s'était brûlé le bras avec de l'huile, Étienne qui avait fait une chute spectaculaire sur une pente de ski. Qu'avaient-ils tous à vouloir défier les lois de la gravité en sautant dans le vide ?

— Nicole ?

— Maud ? Que fais-tu ici ? Maxime a un problème ?

— Maxime va bien. Il m'a donné une carte pour Kim. Comme je passais voir Rouaix, il me l'a confiée.

— Il est formidable. As-tu vu André ? Je n'ai pas eu le temps d'aller l'embrasser ce matin.

— Il va mieux. Je le fais travailler.

— Avez-vous du nouveau dans l'affaire Desrosiers ?

Pas encore. Rouaix avait répété à sa partenaire que les liens étaient trop indirects entre Marcotte, Wilson et Desrosiers.

— Il y a trop de monde, Graham, tu le sais bien, avait-il dit. La livraison de drogue ne concernait pas vingt-cinq personnes.

— Il me manque pourtant deux noms, Rouaix. Le duo qui a tiré sur Desrosiers et Maxime. Desrosiers ne les connaît pas, il me l'a juré. Je ne crois pas qu'il me mente. Si ça pouvait être aussi simple avec le père qu'avec le fils… Maxime est allé jouer avec les enfants de Léa et de Danielle. J'espère qu'il ne tombera pas. Je n'aurais peut-être pas dû lui permettre de sortir…

— Il doit être très heureux d'avoir enfin quitté l'hôpital.

— Et toi ?

— Dans trois jours. Mes côtes ne me font plus mal.

— Menteur.

Il avait ri, fait promettre à sa partenaire de rassurer sa femme. Il était hors de question qu'on prolonge son séjour au CHUL.

— Rouaix se déplace plus facilement, non ? dit Graham à Nicole.

— Il était temps ! Je pense qu'il finirait par mordre s'il devait rester ici…

— Personne ne vous a interrogées, toi et tes collègues, sur le départ de Maxime ?

— Je t'aurais appelée aussitôt ! On n'a même pas revu le clown Grimace. Tu vois que tu t'inquiétais…

Elle allait dire «inutilement», sourit à Maud Graham tout en regardant la carte destinée à Kim. La signature de Maxime était mal assurée, mais très lisible.

— Il va pouvoir retourner à l'école la semaine prochaine.

— C'est ce que je lui ai dit, fit malicieusement Graham. Il proteste, mais il est ravi de retrouver ses copains. J'ai rencontré Philippe et Joseph ; ils sont venus jouer à la maison. Ils sont gentils. Ils assurent la livraison des journaux jusqu'à ce que

Maxime soit rétabli. Je lui ai donné de petites tâches à la maison pour qu'il puisse récupérer un peu de l'argent qu'il se fait comme camelot. Le plus beau, c'est que Grégoire a décidé de faire les repas. En tout cas, c'est ce qu'il m'a déclaré hier soir. Il avait un peu bu, mais je pense qu'il était sincère. Il nous a régalés au souper. Je regrettais qu'Alain manque ça...

L'arrivée d'un gamin sur une civière interrompit Graham. Elle salua Nicole en s'interrogeant : combien d'enfants dépendraient d'elle aujourd'hui ? Nicole touchait la main du garçon, murmurait des mots apaisants pour la mère tout en indiquant au préposé vers quelle chambre se diriger.

Graham trouva l'air particulièrement pur quand elle sortit dehors.

Chapitre 8

Les tortues grattèrent les parois de verre du vivarium quand elles perçurent un mouvement dans la pièce. La chambre de Kevin était mal éclairée, mais elles distinguaient des ombres et ouvraient la gueule, affamées. Denise jeta une pincée de flocons de crevettes en s'amusant de la précipitation maladroite des reptiles.

Elle les observa quelques secondes, puis se pencha vers Kevin, le secoua légèrement. Il gémit dans son sommeil sans s'éveiller. Denise sourit; on pouvait toujours compter sur l'Ativan. Elle tira Kevin du lit, lui enfila son chandail en coton ouaté rouge, son pantalon vert, ses chaussettes imprimées aux motifs de Noël, alla chercher son habit de neige, l'en revêtit avant de mettre son propre manteau. Elle vérifia deux fois si toutes les portes de la maison étaient bien verrouillées, si les ronds de la cuisinière étaient éteints et souleva Kevin dans ses bras pour l'emmener à la voiture. Elle dut s'y reprendre à plusieurs reprises pour la faire démarrer. Kevin s'était rendormi, et c'est somnolent, le teint blême, qu'il fut examiné à l'urgence du CHUL. Une infirmière reconnut le petit garçon et s'empressa auprès de lui. Denise apprécia cette marque d'intérêt et espéra que le médecin qui examinerait Kevin saurait être aussi attentif. Elle lui mentit en racontant que son fils avait eu des convulsions, mais elle voulait qu'on la prenne vraiment au sérieux. Et après tout, la somnolence de Kevin, elle, était réelle.

— Je ne voulais pas me précipiter inutilement, mais Kevin ne parvient pas à se réveiller. Il est vaseux, n'a pas d'appétit.

Le nouveau médecin écoutait Denise Poissant tout en se demandant pourquoi l'enfant ne faisait pas de fièvre. Elle accompagnait très souvent la somnolence. Qu'est-ce qui causait cette indolence chez Kevin? L'infirmière qui avait repéré l'enfant l'avait informé de sa récente hospitalisation; elle avait accompagné elle-même le patient à l'aile de pédiatrie.

Le médecin était intrigué. Il fallait faire des analyses sanguines et garder le gamin en observation. On l'accueillerait de nouveau en pédiatrie.

Nicole, qui avait confirmé la disponibilité d'un lit, étouffa un cri de surprise en entendant le nom du jeune patient.

Kevin Poissant était de retour.

Et le Dr Mathieu qui était en congé! En vacances chez sa sœur en Floride.

Il lui avait dit de tout faire pour rassurer Denise Poissant, qui ne devait pas quitter l'hôpital sans qu'on ait trouvé d'explication à son comportement étrange. Avant son départ, il s'était entretenu avec Marie-France Pagé qui était en liaison avec une assistante sociale de la DPJ: si Denise Poissant tentait de quitter l'hôpital sans qu'on l'y autorise, on la contraindrait par la loi à confier son enfant au personnel hospitalier pour vingt-quatre ou même quarante-huit heures. Le temps d'étoffer le dossier, copieux en suspicions, mais chiche en preuves tangibles. Nicole se remémorait les consignes du Dr Mathieu: rassurer Denise Poissant et récapituler avec elle, en demandant des précisions, en exigeant plus de détails, l'historique des maux de Kevin. Il ne fallait pas la contredire, mais abonder plutôt dans son sens afin qu'elle livre davantage d'informations. L'hypothèse du Dr Mathieu serait-elle confirmée?

Le pédiatre avait évoqué la possibilité d'une manifestation du syndrome de Münchhausen par procuration. Il avait conseillé la lecture d'une thèse à Nicole et conclu à la nécessité d'obtenir des preuves pour étayer sa théorie. Il fallait que Denise Poissant revienne au CHUL et y reste!

— Flattez-la si nécessaire, avait-il ajouté, et tâchez de la surveiller sans qu'elle s'en aperçoive.

«Plus facile à dire qu'à faire», songea Nicole Rouaix en tirant les rideaux de la chambre où elle venait d'installer Kevin.

Elle ne pouvait tout de même pas s'asseoir sur le lit voisin et guetter les moindres gestes de Denise Poissant.

La somnolence de Kevin confirmait ce qu'avait annoncé le Dr Mathieu. Il avait parié que l'enfant se présenterait avec un problème nouveau. Il ne s'agirait ni d'allergies, ni de maux de cœur, ni de crampes abdominales.

— Kevin est dans cet état depuis longtemps ? questionna Nicole.

— Je l'ai trouvé apathique à son réveil, mais il est fatigué ces jours-ci. Il a eu un petit rhume, alors j'ai cru que c'était ça. Comme il ne se réveillait toujours pas, ça m'a inquiétée.

— Il n'a pas de fièvre pourtant…

Nicole s'interrompit, s'empressa de tirer un drap pour camoufler son embarras : le Dr Mathieu avait expressément recommandé de ne pas contrarier Denise Poissant.

— Vous dites qu'il devrait faire de la fièvre ?

Denise fixait l'infirmière qui baissa les yeux en signe d'humilité.

— Non, non, pas du tout. C'est seulement qu'on a eu cette semaine le cas d'une fillette qui était somnolente et fiévreuse. Elle avait attrapé un virus qui l'amortissait complètement. Kevin aurait pu souffrir de la même chose. Mais chaque enfant, chaque cas est différent, on le constate chaque jour.

Ces banalités plurent à Denise Poissant qui demanda si la petite n'avait pas souffert d'une méningite.

— Il paraît qu'il y a eu des cas dans une garderie de Sainte-Foy.

— Un cas unique, madame Poissant, et tout s'est bien terminé.

— Il ne faudrait pas que Kevin soit exposé à une contagion, il attrape tout !

Nicole Rouaix désigna le lit vide en souriant.

— On ne vous imposera pas un enfant qui pourrait contaminer Kevin. Il a assez de ses propres maladies, le pauvre chou. Étiez-vous fragile quand vous étiez jeune, madame Poissant ?

— Je vous ai déjà dit de m'appeler par mon prénom…

En écoutant Denise Poissant raconter ses nombreuses visites à l'hôpital de Baie-Comeau, Nicole la voyait s'épanouir, comme si les souvenirs qu'elle ravivait étaient plaisants. Elle avait un demi-sourire en déclinant le nom de toutes les infirmières qui s'étaient occupées d'elle.

— Vous avez une bonne mémoire ! fit Nicole d'un ton admiratif.

Oui, elle avait une excellente mémoire. Elle n'avait pas raté son diplôme d'infirmière parce qu'elle ne pouvait réussir les examens. Elle aurait certainement eu de bonnes notes si elle avait pu terminer son cycle. En la punissant pour une peccadille, les professeurs avaient privé le monde médical d'une infirmière de qualité. Elle n'allait pas impressionner Nicole en lui récitant d'un trait les noms de tous les nerfs crâniens, même si elle aurait aimé la mettre au défi d'en faire autant.

— Oui, j'ai de la mémoire, répondit-elle. Devra-t-on attendre bien longtemps les résultats des prises de sang de Kevin ?

— On va faire le plus vite possible. Le Dr Duchesne exigera probablement des tests complémentaires. Peut-être que la fatigue explique cette somnolence, mais après une bonne nuit passée ici, Kevin devrait être en meilleure forme. Si son état ne s'est pas amélioré, on poursuivra les investigations. C'est parfois très compliqué avec les jeunes enfants.

Denise Poissant acquiesçait, satisfaite du changement d'attitude de Nicole Rouaix ; on avait dû la réprimander après son départ et elle montrait beaucoup moins d'arrogance. Elle avait dit « très compliqué », elle reconnaissait ainsi son ignorance. Leur ignorance. Le Dr Duchesne s'avouerait aussi vaincue et, dans quelques semaines, quand elle ramènerait son fils souffrant de maux de ventre, on l'écouterait enfin et on ouvrirait Kevin pour mieux l'examiner. On pratiquerait peut-être une appendicectomie. Ou une colectomie ? Kevin aurait une belle cicatrice à l'abdomen et elle aurait plusieurs pansements à changer.

Nicole dut quitter Denise Poissant pour s'occuper des autres malades, mais elle réussit à revenir la voir à trois reprises sous divers prétextes. À chacune de ses visites, elle trouvait Denise en train de lire, bien calée dans un fauteuil, apparemment sereine, même si Kevin ne s'était pas réveillé. Au moment du repas, Nicole offrit à Denise Poissant de veiller l'enfant le temps qu'elle descende à la cafétéria, mais elle refusa ; elle avait apporté une banane et s'en contenterait. Elle ne voulait pas quitter son fils afin d'être près de lui quand il sortirait de cet état léthargique.

— Il sera trop angoissé s'il ne me voit pas.

— Vous avez raison, approuva aussitôt Nicole.

En repoussant une mèche sur le front de Kevin, elle ajouta qu'elle adorait les cheveux bouclés.

— Il tient de son père, je suppose ?

— Oh non, s'écria Denise. Il ressemble à mon frère Paul.

Même visage triangulaire qui rappelait un chat, mêmes yeux pâles, mêmes sourcils en accent circonflexe. Même séduction auprès des infirmières.

— Non, reprit-elle. Bernard est très différent. Ils n'ont rien en commun.

La remarque sonnait comme une victoire. Denise se réjouissait manifestement de cette différence et Nicole imagina, consternée, la vie quotidienne chez les Rivet-Poissant, une vie de méfiance et de mesquinerie, de froideur et de mensonges.

— Il a votre bouche et votre front, nota Nicole. Et il doit avoir hérité de bien d'autres choses de vous…

Oui, il était imparfait et fragile, mais ça ne l'empêchait pas de fasciner les médecins. Dès ses premiers mois, ils se penchaient à tour de rôle sur son berceau ; elle avait su très vite les intéresser à Kevin. On la prenait au sérieux quand elle se présentait à Sainte-Justine, en larmes, en pleine nuit, parce que le bébé avait des convulsions. Elle avait dû cesser d'y aller parce qu'un médecin posait trop de questions, mais elle avait adoré la fébrilité qu'elle avait déclenchée à sa dernière visite. Kevin était juste assez mal en point. Elle aurait dû se chronométrer quand elle avait appuyé l'oreiller sur son visage ; la durée de la pression était idéale.

Quand elle avait retiré l'oreiller, son fils avait le visage cramoisi, les yeux exorbités et il était terrifié. Elle lui avait caressé la tête pour le calmer. Et avait entonné sa chanson préférée. Il avait toussé, s'était étouffé, mais avait fini par reprendre son souffle. Alors qu'il recommençait à respirer normalement, Denise avait ressenti une exaltation particulière à l'idée de cette résurrection qu'elle avait orchestrée. Elle avait le pouvoir de vie et de mort. Comme les médecins. Mieux que les médecins qui ne réussissaient pas toujours à sauver leur patient ; elle savait exactement quand retirer l'oreiller pour ressusciter Kevin.

Si elle prisait cette sensation d'un contrôle absolu, Denise n'avait eu cependant recours à la technique de l'oreiller qu'une seule fois depuis qu'elle vivait à Québec. Pour son premier passage au CHUL. Elle avait tout de suite aimé cet hôpital ; son architecture, plus récente que celle des autres établissements de la région, l'attirait. Elle avait aussi lu deux thèses rédigées par des médecins attachés à l'hôpital. Et celle d'un neurologue qui travaillait à l'Hôtel-Dieu de Lévis ; elle devait admettre que le département de pédiatrie y était très important, mais l'obligation d'emprunter le traversier l'empêchait de s'y rendre plus régulièrement.

— Le Dr Duchesne va vous voir après le dîner, madame Poiss…

Un gémissement de Kevin fit revenir Nicole sur ses pas. L'enfant avait ouvert les yeux et découvrait la chambre. Denise se pencha aussitôt vers lui en souriant, rassurante, maternelle. Nicole prit le pouls et la température de l'enfant pour dissimuler son trouble. Est-ce que le Dr Mathieu pouvait avoir raison au sujet de Denise Poissant ? Mimait-elle vraiment cette attitude aimante ? Les bernait-elle tous ?

Que révéleraient les tests sanguins ?

* * *

Rien. Denise Poissant avait parié que les médecins ne penseraient pas à rechercher ce médicament spécifique, puisqu'ils ignoraient qu'elle y avait parfois recours. Et personne n'en avait jamais prescrit à Kevin. Elle utilisait ses propres comprimés. Elle ne redonnerait pourtant pas de somnifères à Kevin, mais injecterait plutôt de l'insuline dans son soluté. Elle avait bien fait d'en subtiliser quelques doses quand elle était allée à Baie-Comeau ; c'était une vraie chance que sa mère souffre du diabète.

Elle mangea sa banane et s'assoupit aux côtés de Kevin en attendant la visite du médecin. Elle ajouterait peut-être des faits nouveaux quand elle lui parlerait. Et si Kevin avait eu des convulsions l'avant-veille ? Elle prétendrait qu'elles avaient cessé trop vite pour l'inquiéter réellement, mais que, avec le recul, elle se demandait si…

La porte de la chambre était entrouverte. Maxime pénétra dans la pièce et s'approcha du lit de Kevin. Celui-ci ouvrit les yeux quand Maxime lui caressa le bras ; il parut étonné de le revoir.

— Salut, Kevin. Je suis venu faire changer mon bandage à la clinique externe et je voulais voir Élodie. Nicole m'a dit que tu étais ici, j'ai voulu te faire un petit coucou. Est-ce que tu as eu de beaux cadeaux pour…

— Eh ! Qu'est-ce que tu fais là ?

— C'est moi, madame Poissant. Je voulais seulement dire bonjour à…

Un brouhaha trop soudain intrigua Maxime. Il quitta la chambre, curieux. Les infirmières couraient dans le long corridor, entraient dans une chambre, en ressortaient en échangeant des informations, en désignant tel ou tel patient aux préposés. Tout le personnel était tendu ; les visages montraient une extrême concentration, les lèvres pincées trahissaient l'angoisse. Chacun, chacune retenait son souffle.

— Qu'est-ce qu'il y a ? interrogea Maxime quand Jeanne passa devant lui.

— Un gros accident de la route : l'autobus qui ramenait des enfants de Valcartier a dérapé sur la glace, heurté un arbre de plein fouet avant de tomber dans le fossé. Le chauffeur est mort sur le coup ainsi qu'une monitrice de ce camp d'hiver. On a cinq enfants qui vont arriver…

Au moment où elle terminait sa phrase, les portes de l'aile s'ouvrirent pour laisser entrer des civières. Les infirmières se précipitèrent vers les blessés qui revenaient du bloc opératoire ou de l'urgence.

Maxime adressa un petit sourire à Denise Poissant. Il ne voulait pas qu'elle le mette à la porte de la chambre. Toute cette activité le passionnait.

Et puis Graham travaillait. Elle aurait dû l'emmener comme prévu chez Félix et Sandrine, mais ils étaient grippés. Quand Maxime lui avait dit qu'il serait heureux de passer l'après-midi au CHUL pour revoir ses amis Kim et Élodie, Graham s'était rangée à sa proposition. Elle irait le chercher quand elle quitterait le bureau. Elle lui avait demandé s'il aimait les mets chinois.

Ah oui ! Il adorait le poulet à l'ananas. Tandis qu'elle le reconduisait à l'hôpital, elle avait réitéré sa mise en garde : ne rien confier à un adulte.

— Tu restes poli, mais tu ne racontes pas ce qui t'est arrivé. À personne. Ni prêtre, ni joueur de hockey, ni clown, ni magicien, ni visiteur.

— Mais personne ne me parle, à part les gens que je connais déjà. Qu'est-ce que je dirais ? De toute façon, je ne sais même pas qui nous a tiré dessus. Et toi non plus. Tu ne me reparles jamais de ces gars-là. Tu as peur pour moi, c'est ça ? Parce que vous ne les avez pas attrapés ?

— Non, non, mentit-elle. Je suis seulement prudente. Déformation professionnelle.

— Pourquoi es-tu devenue détective ?

— Parce que je voulais changer le monde.

— Ah… Penses-tu que tu pourrais changer un peu mon père ? J'aimerais ça si on restait dans notre appartement au lieu de déménager tous les six mois. C'est juste ça qui m'énerve. Je lui en ai parlé quand je l'ai vu hier à l'hôpital. Il a dit qu'on aviserait.

— Ton père n'a probablement pas envie de retourner dans un endroit où il a de mauvais souvenirs. Et toi non plus, tu ne trouverais pas ça très facile.

— Je ne veux pas encore déménager, murmura Maxime.

— Ton père a failli mourir. Il a eu très peur.

Et pourtant, Bruno Desrosiers continuait à se taire même si Graham lui avait démontré le danger que pouvait engendrer son silence. Il lui avait rétorqué qu'elle ne pouvait pas le défendre s'il parlait. Elle répétait qu'elle ne pouvait rien pour lui s'il s'enfermait dans son mutisme. Ce dialogue de sourds l'exaspérait sans qu'elle sache comment le modifier.

— Comment t'es-tu brisé l'épaule ? demanda Denise Poissant à Maxime pour l'amadouer.

S'ils bavardaient ensemble gentiment, elle parviendrait peut-être à le persuader de rentrer chez lui et de la laisser seule avec Kevin. Elle ne voulait pas faire d'esclandre, attirer l'attention en le jetant à la porte, mais cet enfant trop curieux l'exaspérait.

— Je suis tombé.

— Tombé ?

Il se souvenait de la consigne de Maud : ne rien dire de l'agression à un adulte. Elle ne lui avait pas défendu d'inventer une histoire.

— J'ai grimpé sur un escabeau pour accrocher des lumières de Noël sur le bord du toit et j'ai glissé.

— Mon Dieu ! Tu dois avoir eu très mal.

Il hocha la tête avant de questionner à son tour Denise Poissant ; est-ce que Kevin avait encore mal au ventre ? Non, il était apathique. Elle lui expliqua la signification du mot et Maxime songea qu'il s'appliquait à son père. Quand il allait le voir, il se fatiguait rapidement, ne terminait pas ses phrases, sautant sans logique d'un sujet à l'autre. Il avait hâte qu'il redevienne normal.

— Kevin a ouvert les yeux tantôt. Il m'a reconnu.

— C'est bien, dit Denise Poissant. On va pouvoir retourner à la maison. Dès qu'on aura vu le médecin…

— Vous devrez patienter longtemps, avec tous les blessés qui viennent à l'étage. Je suis allé aux glissades de Valcartier, cet été. Est-ce que vous y avez déjà emmené Kevin ?

Les questions de Maxime ennuyaient Denise Poissant, mais elle répondit que le père de Kevin était militaire et avait travaillé à la base de Valcartier. Oui, ils allaient parfois au Village des sports.

— Peut-être que Kevin va jouer au hockey quand il sera grand ? Moi, je ne peux pas encore à cause de mon épaule, mais je suis capable de dessiner un peu. Je vais faire un clown pour Kevin.

Maxime sortit des crayons et du papier de son sac à dos. Il s'installait par terre pour dessiner quand le cri d'une femme les fit sursauter. Denise Poissant se rua dans le corridor, mais ne vit que le dos d'un préposé qui poussait une civière dans une chambre et une infirmière qui tentait de consoler une mère éplorée. Denise Poissant eut toutefois le temps de constater que l'uniforme de Jeanne était taché de sang.

Sur cinq blessés, il y aurait bien quelques transfusions. On garderait des veines ouvertes en branchant des solutés, on changerait régulièrement des pansements. Dans l'agitation générale, elle réussirait peut-être à s'introduire dans la chambre d'un blessé et à récupérer des bandages souillés.

Kevin se mit à babiller et Denise laissa Maxime le distraire. Il lui tendit une feuille de papier et un crayon rouge pour dessiner un camion de pompiers.

Ils jouèrent un bon moment, puis Kevin réclama des biscuits. Denise en profita pour sortir et repérer les chambres où on avait emmené les victimes de l'accident. Des médecins et des infirmières s'activaient dans un ensemble parfait, et Denise y vit un ballet, un ballet dont elle avait été exclue. Ou une messe qu'on disait sans elle. Elle reconnut le Dr Duchesne. Elle ne la verrait pas de sitôt; le médecin ne pensait sûrement pas à Kevin, qui patientait dans une chambre voisine, alors qu'elle vérifiait les moniteurs, tâchait de prévoir l'imprévisible tout en rassurant les parents qui commençaient à débarquer dans l'aile de pédiatrie. Non, elle oubliait Kevin.

Denise Poissant lui montrerait son erreur.

Elle descendit au rez-de-chaussée, se dirigea vers les distributrices et choisit des biscuits pour son fils, un café pour elle et du chocolat pour Maxime. Quand elle revint dans la chambre, elle était décidée à injecter rapidement de l'insuline à Kevin.

Ils seraient tous mystifiés!

Maxime remercia Denise; il adorait le chocolat. Comme son père.

— Il fait quoi, ton papa?

— Il est musicien. Il… est en tournée. C'est pour ça qu'il n'est pas venu me voir quand j'étais hospitalisé ici.

Denise se moquait de la profession de Bruno Desrosiers, mais elle continua à parler avec Maxime pendant quelque temps avant que le Dr Duchesne fasse son apparition. En voyant Kevin s'amuser avec les crayons de couleur que lui tendait Maxime, elle adressa un large sourire à sa mère.

— Je suis contente qu'il se réveille. On n'a pas les résultats des tests et, avec cet accident, on est débordés. Je dois vous demander de puiser dans vos réserves de patience. La somnolence de Kevin s'est dissipée, mais je veux en savoir plus sur ce qui l'a causée. On se revoit tantôt. Tu es vraiment gentil, mon beau Maxime…

— J'ai le temps de jouer avec Kevin. Maud ne viendra pas me chercher avant la fin de l'après-midi.

Martine Duchesne ébouriffa les cheveux du garçon avant de repartir vers les blessés.

Dès qu'elle s'éloigna, Denise Poissant tira les rideaux en décrétant que c'était l'heure de la sieste.

— Kevin vient de se réveiller! s'étonna Maxime.

— C'est vrai, mais il a l'habitude de se reposer à cette heure et je ne veux pas perturber ses horaires. Ça te fera aussi du bien de te reposer.

Kevin protesta et continua à gazouiller dans son lit, mais Maxime ravala ses objections et s'allongea. Devait-il téléphoner à Maud ? Pourrait-elle venir le chercher plus tôt ? Non, il ne fallait pas la déranger ; il ne modifierait pas leur programme. Il ferma les yeux et essaya de se détendre en se chantant une des pièces préférées de son père. Un jour, il pourrait la jouer au saxophone. Un jour, il serait un grand musicien et il engagerait son père pour l'accompagner dans son orchestre. Et il inviterait Maud à venir à leur spectacle.

Il composerait une chanson pour elle.

Denise Poissant écoutait la respiration de Maxime en guettant des signes d'assoupissement, mais il soupirait, se tournait dans un sens, puis dans l'autre ; finirait-il par s'endormir comme son fils qui avait enfin refermé les yeux ? Elle devait injecter l'insuline à Kevin avant qu'un autre enfant prenne la place de Maxime, une victime de l'accident dont la mère ne voudrait pas se séparer et qui l'empêcherait de traiter Kevin en paix. «Je veux en savoir plus», avait dit le Dr Duchesne. Elle s'étonnerait de ne rien trouver dans les résultats qui puisse expliquer l'apathie de Kevin. Elle devrait le soumettre à d'autres tests. Si on découvrait une baisse du taux de sucre dans le sang de Kevin, on croirait qu'il souffrait d'hypoglycémie. On le traiterait en ce sens. On lui donnerait peut-être son congé, mais il reviendrait régulièrement à l'hôpital avec une maladie chronique.

Elle devrait faire fréquemment des dosages de glycémie. Elle adorerait manier les lancettes pour prélever des gouttes de sang, introduire celles-ci dans le glucomètre qui en ferait la lecture en quelques secondes. Elle avait toujours désiré posséder ce petit appareil portatif.

Maxime cessa tout à fait de bouger et Denise poussa un soupir de satisfaction. Pour étouffer aussitôt un gémissement d'exaspération : le garçon se redressait dans son lit, marmonnait qu'il n'était pas du tout fatigué.

— Dans ce cas, va me chercher un café. Kevin s'est rendormi, mais je suis gelée. Je préfère rester ici, au cas où le médecin reviendrait.

Elle fouilla dans son porte-monnaie, tendit des pièces à Maxime.

— Tu t'achètes ce que tu veux.

Maxime s'empara de l'argent et disparut ; il avait voulu faire la sieste pour passer le temps, mais il ne s'endormait pas. Il préférait se promener dans l'hôpital. Il profita du va-et-vient des civières pour sortir de l'aile, emprunta l'escalier de secours et se dirigea vers le hall d'entrée. Il hésita devant les distributrices : chips barbecue ou ondulées ? Il opta pour ces dernières, inséra la monnaie, attrapa le sachet avant de sortir une autre pièce pour le café de Denise Poissant.

— Maxime, entendit-il derrière lui. Tu es revenu ?

L'enfant se retourna et reconnut le clown Grimace.

— Je suis venu faire changer mon bandage. Je pensais que tu étais reparti à Trois-Rivières pour un spectacle.

— Seulement demain… Il paraît qu'il y a eu un gros accident ?

— Oui, je n'aimerais pas que ça m'arrive !

Le clown s'étonna, désigna l'épaule de Maxime.

— Ce n'est pas ce qui s'est passé pour toi ?

— Non, je me suis fait… Je suis tombé d'une échelle.

L'enfant fit des mouvements de rotation avec sa main.

— Ça va mieux. Je peux écrire et dessiner.

— Tu aimes dessiner ?

— Surtout des voitures. Je suis assez bon.

— Me ferais-tu un dessin ? demanda l'homme.

Maxime commença par refuser ; le dessin serait moche. Mais devant l'insistance du clown, il finit par accepter. Il leva ensuite le verre de carton et expliqua qu'il devait aller porter le café à Mme Poissant pendant qu'il était chaud.

— On se reverra plus tard.

Maxime ébaucha un sourire avant de prendre l'ascenseur. Il aurait aimé qu'il monte très haut, mais il s'arrêtait au troisième, et faire la navette entre cet étage et le premier présentait peu d'intérêt. C'était beaucoup mieux dans les hôtels où il avait dormi avec son père. Il espéra que Bruno fasse un jour assez d'argent pour qu'ils puissent souper au restaurant du Concorde ; ils verraient toute la ville illuminée dans une rotation de trois cent soixante degrés. Il avait lu un article dans une revue chez Maud. Elle n'avait jamais mangé dans ce restaurant, mais Alain y était déjà allé.

Le rythme ne s'était pas ralenti à l'aile de pédiatrie et Maxime passa devant Nicole sans qu'elle le voie. Il faillit frapper à la porte de la chambre, quand il se rappela que Kevin faisait une sieste. Il déposa son sac de chips et le café de Denise Poissant par terre et, accroupi, ouvrit très lentement la porte. Comme il se relevait après avoir récupéré le verre et les croustilles, il vit Denise insérer une aiguille dans le soluté et presser sur le piston.

Maxime s'immobilisa, sans savoir pourquoi. Il n'osait interrompre l'opération ; la mère de Kevin semblait si concentrée... Il retint son souffle quelques secondes, puis toussa avant de pousser la porte. Denise Poissant sursauta, cacha la seringue sous les draps en se mordant les lèvres.

Maxime entra dans la pièce plongée dans la pénombre, tendit le café et sa monnaie à Denise Poissant.

— J'ai mis du sucre et du lait...

Denise se remettait de son trouble ; pourquoi fallait-il que ce petit crétin l'ait vue piquer Kevin ? Si une infirmière n'était pas revenue dans la chambre chercher un oreiller, elle aurait eu tout le temps d'injecter l'insuline à Kevin. Elle jouait de malchance !

— C'est très bien, Maxime. Ce café est délicieux.

— Ah oui ? Maud se plaint toujours qu'il est dégueulasse. Ça dépend des goûts. Elle aime le café fort.

142

— Maud ? Maud Graham ?

— C'est… une sorte de marraine. Je reste chez elle.

— La détective ?

Avait-il le droit d'en parler ou non ? Maud ne lui avait rien dit à ce sujet. Et puis Denise Poissant était la mère de Kevin ; qu'est-ce que ça pouvait lui faire de savoir qu'il demeurait chez Maud ?

— Sur quoi enquête-t-elle ?

Il ne pouvait tout de même pas lui révéler qu'elle voulait arrêter les hommes qui avaient tiré sur son père et lui. Il se souvint du film policier qu'ils avaient regardé la veille, *French Connection*, un vieux film, mais Maud aimait Gene Hackman.

— Un trafic de drogue, je crois. Avec des bandits de New York. Je n'en suis pas sûr, elle ne veut pas discuter de son travail. Le Dr Duchesne est venue voir Kevin ?

— Pas encore. Vas-tu revenir pour ton bandage bientôt ? Tu dois le garder longtemps ?

— J'espère que non. J'ai assez hâte de jouer au hockey !

Maxime regarda l'heure à son poignet, l'agita afin que Denise voie la montre qu'Alain Gagnon lui avait offerte pour Noël.

— Elle est belle, hein ?

Denise Poissant jeta un coup d'œil distrait ; l'avait-il vue ou non faire une injection à Kevin ?

— Très jolie. Je ne pensais pas qu'il était si tard. Tu plies ton bras facilement, ça ne te fait pas trop mal ? Tu sais, Maxime, il y a toutes sortes de traitements contre la douleur. Moi-même, il m'arrive d'administrer des sédatifs à mon fils et, parfois, je dois recourir aux injections. On peut te faire des piqûres pour soulager la douleur…

Maxime eut un léger mouvement de recul. Est-ce qu'elle lui offrait de lui donner une injection ? Comme à Kevin ?

— Non, non, affirma-t-il avec conviction. Je n'ai pas du tout mal !

Il sauta en bas du lit, attrapa son manteau.

— Je vais vous laisser. Si on continue de parler, on va finir par réveiller Kevin.

Il se sauva dans le corridor sans même refermer la porte et Denise Poissant jura intérieurement. Maxime s'était bel et bien enfui. Il n'aurait pas été si prompt à se défiler s'il ne l'avait crue en mesure de lui faire une piqûre.

Ses craintes étaient confirmées.

Elle devrait peut-être changer ses plans ? Elle avait pris la précaution d'expliquer à Maxime qu'elle soignait Kevin, mais était-il possible qu'il mentionne l'injection à la détective ? Ou à une infirmière ?

Denise inspira profondément, s'approcha de la fenêtre, repoussa les rideaux, regarda sans les voir les autres ailes du CHUL. Toutes ces ailes où elle n'avait jamais été hospitalisée. Elle s'allongea sur le lit vide, après avoir récupéré la seringue planquée sous les draps et l'avoir jetée dans une poubelle où elle se mêlerait à des dizaines d'autres seringues. Il y avait certes un risque à traiter Kevin à l'hôpital, car elle pouvait être dérangée comme cela venait justement de se produire, mais il y avait l'avantage non négligeable de la dilution : son acte pouvait se confondre avec ceux des infirmières. Une prise de sang, une injection de plus ou de moins…

Elle se calmait peu à peu ; pourquoi Maxime irait-il raconter ce détail à la détective ? Et s'il le lui rapportait, quelles conclusions en tirerait-elle ? Qu'elle était une mère soucieuse de soulager les douleurs de son enfant. N'avait-elle pas expliqué à Maxime qu'elle traitait Kevin pour atténuer ses souffrances ?

Et s'il en parlait à une infirmière, Denise prétendrait que Maxime fabulait… Qui croirait la parole d'un enfant ? Personne ne lui accordait de crédit, autrefois, quand elle s'exprimait. Maintenant, c'était elle qui avait le pouvoir.

Elle se pencha vers Kevin, remonta le drap par-dessus sa tête, tel un linceul, puis le rabaissa en entendant des pas dans le corridor.

Chapitre 9

Il y avait beaucoup plus de monde que d'habitude dans la salle de jeux de l'aile de pédiatrie. Plusieurs parents, prévenus de l'accident dont avait été victime leur enfant, s'étaient précipités sans prendre le temps de déposer un frère ou une sœur chez une voisine ou une gardienne. Maxime vit Élodie jouer avec une fillette qui avait encore son manteau sur le dos. Il s'approcha d'elle, la taquina, lui ôta ses vêtements d'hiver. Il en déshabilla deux autres et sortit dans le corridor pour tenter d'en apprendre plus sur l'accident.

Personne ne pouvait répondre aux questions de Maxime. La course contre la montre se poursuivait. Les civières, les chariots défilaient devant les infirmières et les médecins qui agissaient dans une parfaite cohésion. Maxime se rappela ce que Graham avait dit à propos de Rouaix : ils n'avaient pas besoin de se parler au cours d'une opération pour décider de la marche à suivre. Ils échangeaient simplement des regards. Ici, les infirmières et les médecins se comprenaient par monosyllabes ; l'heure n'était pas aux longues discussions.

Maxime décida de téléphoner à Graham. Il n'était pas le seul à vouloir se servir de l'appareil. Les parents des victimes de l'accident se succédaient pour rassurer leurs proches et Maxime préféra descendre au rez-de-chaussée pour joindre Graham. Alors qu'il s'approchait d'un téléphone public, le clown Grimace le héla.

— Tu t'en vas aussi ?

— J'ai joué un peu, mais je commence à m'ennuyer. Il y a trop de monde, tous les jeux sont pris. Et Nicole et Jeanne sont débordées.

— Oui, je vais partir avec toi. On gêne à être dans leurs jambes.

Maxime croyait que le clown resterait plus longtemps pour distraire les enfants, mais peut-être avait-il raison : il y avait une telle cohue à l'étage !

Le clown offrit à Maxime de le reconduire chez lui, mais l'enfant refusa. Une amie devait venir le chercher bientôt à l'hôpital. Il n'avait qu'à lui téléphoner. Il se dirigea vers les appareils d'un pas assuré. Peut-être que Graham pourrait le cueillir plus tôt que prévu ?

— Je peux te déposer, insista le clown. Il fait froid, tu vas geler à l'arrêt d'autobus si ton amie ne peut pas venir te chercher ici. Je vais t'attendre. Vas-y, je serai devant la porte.

Maxime composa le numéro du téléphone cellulaire de Maud Graham, mais il n'obtint aucune réponse. Il composa celui de la centrale de police et demanda Maud.

— Maud ? Ah ? Graham ? Elle n'est pas là.

— Mais il faut que je lui parle et son cellulaire ne marche pas.

— Elle l'a peut-être oublié.

— Mais je veux lui parler !

— Écoute, elle est partie pour s'occuper d'une affaire urgente. On n'aura pas de nouvelles d'elle avant un bout de temps. Tu ferais mieux de rappeler demain. Eh ? Je te reconnais, tu es la petite fille de Trottier ?

Maxime raccrocha, profondément vexé. Comme s'il avait une voix de fille ! Ce policier était un imbécile !

Le clown décela sa colère et l'interrogea.

— Ton amie ne peut pas venir ?

— C'est ça. Elle a trop de travail.

— Ne te fâche pas pour ça, voyons. Je vais te ramener chez toi.

Chez lui ?

Où était son domicile ? Rue Mgr-Gauvreau où il n'y avait personne qui l'attendait ? Ou rue Holland où Grégoire n'arriverait pas avant l'heure du souper ? Maud lui avait répété de ne pas faire confiance aux adultes, mais il n'avait rien révélé à Grimace. Le clown était très serviable, il lui demanderait seule-

146

ment de le reconduire rue Saint-Anselme. Il jouerait chez Jérôme jusqu'à ce que Maud rentre à la centrale du parc Victoria. Il n'aurait qu'à marcher cinq minutes pour la rejoindre au poste. Il rappellerait de chez les Bergeron pour lui laisser un message. Après tout, il n'était plus un bébé !

* * *

Graham était toujours dans la boutique de vêtements où une vendeuse avait été attaquée quand elle s'aperçut, en voulant appeler au CHUL, que la pile de son téléphone cellulaire était à plat. Elle oubliait trop fréquemment de la recharger. Et si Grégoire, Maxime ou Alain tentaient de communiquer avec elle ? Elle en avait encore pour un bon moment à Charlesbourg. Elle songeait justement à joindre Grégoire pour le prier d'arriver plus tôt chez elle pour accueillir Maxime. Elle appellerait ensuite au CHUL, dirait à Maxime de sauter dans un taxi et de se rendre directement rue Holland.

Elle eut beaucoup de difficulté à obtenir le service de pédiatrie ; la ligne était constamment occupée. Quand elle finit par demander à parler à Nicole, on lui expliqua que c'était impossible. Quand elle mentionna Maxime, une infirmière lui apprit qu'il avait quitté le service de pédiatrie.

— Mais il devait m'attendre ! Vous ne pouvez vraiment pas me passer Mme Rouaix ?

— Elle est occupée. On a cinq victimes d'un accident...

Graham n'avait pas prêté attention aux nouvelles diffusées à la radio dans la boutique, car elle avait baissé le son de l'appareil dès qu'elle était entrée dans l'établissement.

— Et Maxime est parti...

L'infirmière confirma.

Maud Graham composa aussitôt son propre numéro. Sans obtenir de réponse. Puis celui de Léa, de Danielle. Elles n'avaient pas vu Maxime. Danielle lui suggéra d'appeler à l'Hôtel-Dieu ; Maxime avait peut-être décidé de rendre visite à son père ? Non. Personne ne l'avait aperçu dans cet hôpital. Elle téléphona chez ses amis Philippe et Joseph sans plus de succès.

Elle se tourna vers Trottier, livide.

— Qu'est-ce qu'il y a ?

— Le petit a disparu.

— Comment ? Disparu ? Il doit bien être quelque part.

— Avec qui ?

— Écoute, va voir au CHUL. Je finirai seul ici. Tout va rentrer dans l'ordre, ne t'inquiète pas.

Il croyait à demi ce qu'il disait, mais c'était ce qu'il aurait voulu entendre à la place de sa collègue.

— Je vais prévenir tout le monde au poste, ajouta-t-il. Ils vont attendre tes directives. Fais-moi signe dès que tu as du nouveau.

Graham donna une tape sur l'épaule de Trottier ; elle lui revaudrait ça.

En se rendant au CHUL, elle se demanda si elle devait prévenir Bruno Desrosiers. Que lui dirait-il ?

Trop pressée pour attendre l'ascenseur, Graham prit l'escalier pour monter à l'étage de pédiatrie. Elle entrevit Nicole qui sortait d'une chambre et la héla en se dirigeant vers elle.

— C'est le délire ! Tu es venue chercher Maxime, je suppose ? Je l'ai vu…

— Quand ?

— À son arrivée. Après…

Elle eut un geste large vers la cohue.

— Il est parti d'ici, dit Graham.

— Quoi ?

— Il semble qu'il ait quitté l'aile depuis une bonne heure.

— Il ne doit pas être très loin. Avec André, probablement.

Non. Maud avait déjà vérifié. Elle retourna voir Rouaix. Celui-ci tenta en vain d'apaiser Graham.

— J'ai peur, Rouaix… J'ai peur. Si on a enlevé Maxime, c'est qu'il représente un danger.

— Il nous a pourtant déjà dit tout ce qu'il savait, protesta Rouaix. On aurait dû l'enlever plus vite…

148

— À moins qu…

— Qu'il représente une garantie? La garantie que Bruno Desrosiers continue à se taire, c'est ça?

Rouaix proposa à Maud Graham d'enquêter à l'hôpital tandis qu'elle rentrerait chez elle.

— On va descendre au rez-de-chaussée, peut-être qu'on trouvera des témoins. On va faire appeler Maxime dans tout l'hôpital, au cas où… On va prévenir les gens au service d'accueil. Comment était-il habillé?

Tandis que Graham décrivait le nouveau manteau de Maxime, Rouaix attrapait ses béquilles et s'avançait avec aisance vers l'ascenseur.

— Je fais des progrès, hein?

— Je ne peux pas croire qu'il soit parti! Dis-moi que ce n'est pas vrai!

Rouaix tapotait le cadre de la porte de l'ascenseur avec le bout caoutchouté d'une de ses béquilles, cherchant des paroles réconfortantes.

— C'est ma faute, gémit Graham. Il a insisté pour venir voir Élodie et Kim. Je n'aurais pas dû le laisser seul ici. J'aurais dû deviner qu'il s'ennuierait après un certain temps.

Elle se mordait les lèvres, serrait et desserrait les poings pour activer sa circulation; la sensation d'être paralysée par un poids énorme la submergeait dès qu'elle repensait aux disparitions d'enfants auxquelles elle avait été mêlée durant sa carrière. Elle revoyait les petits corps dans un terrain vague, à l'orée d'un bois, sur les plaines d'Abraham et tentait de toutes ses forces de repousser ces images.

— Ils ne l'ont pas tué, Graham, dit Rouaix avec conviction. Mort, Maxime ne leur servirait à rien. Je ne pensais pas qu'ils iraient jusque-là. Desrosiers a vraiment mis le doigt dans un sale engrenage.

— On dérange quelqu'un, quelqu'un d'important, non? Je vais trouver qui, je te le jure! J'exigerai des comptes à Lucifer, s'il le faut!

À l'entrée, personne n'avait remarqué le départ de Maxime. Graham rentra chez elle en se demandant si elle devait s'y attarder. Serait-elle plus utile si elle se rendait à la centrale de police pour convaincre son patron qu'il ne s'agissait pas d'une fugue, mais bien d'un enlèvement, alors qu'elle n'avait aucune preuve, ou devait-elle rester à la maison à espérer des nouvelles de Maxime ?

Il l'appellerait s'il pouvait le faire. Et s'il pouvait le faire, c'est qu'il était libre. Le ou les ravisseurs n'avaient aucun intérêt à téléphoner chez elle. S'ils tenaient Maxime, ce n'était pas pour exiger une rançon. Et surtout pas à elle.

Elle appela au poste de police en entrant chez elle ; avait-elle des messages ?

Berthier lui rapporta qu'une gamine avait téléphoné plus tôt pour lui parler, mais qu'elle n'avait pas donné son nom.

— C'est Stevenson qui a pris l'appel. Quand j'ai appris la disparition de ton petit protégé, je lui ai demandé plus de détails. Il pensait que c'était une des filles de Trottier. Le petit — si c'est lui — a raccroché avant qu'il puisse en savoir plus.

Une fillette ?

La méprise avait sûrement vexé, blessé Maxime !

— Écoute, Graham, dit Berthier, ça ne fait même pas une heure que Maxime a disparu... Tu vas le retrouver, c'est certain. On ne peut pas déclencher une opération juste sur ton intuition, tu le sais bien.

— Maxime est mêlé à un crime !

— Ton Desrosiers, c'est une bavure. Pourquoi est-ce qu'on s'intéresserait à un petit trou de cul comme lui ? Ou à son fils ? Voyons donc ! On n'enlève pas un enfant comme ça ! C'est compliqué, il y a des risques. Les affaires vont se tasser toutes seules. Je te le garantis.

Les propos de Berthier exaspéraient Graham ; il insinuait qu'elle s'inquiétait pour rien. Elle souhaitait pourtant qu'il ait raison.

Jacques Berthier raccrocha, dubitatif : où était le petit Maxime ? Il n'avait jamais ordonné qu'on l'enlève. Le «clown Grimace» devait seulement discuter avec lui et obtenir le maximum de détails à son sujet. Il croisa les doigts en espérant qu'aucune fâcheuse initiative n'ait été prise sans son consentement. Il desserra sa cravate. Pourquoi ce Desrosiers avait-il offert à Graham d'être sa source ? Elle avait même raconté au poste qu'elle avait rencontré Desrosiers par hasard. Disait-elle la vérité ? Tout allait mal depuis ce jour !

* * *

— J'habite dans Saint-Roch, avait dit Maxime au clown Grimace après avoir traversé le campus de l'Université Laval. Pas loin du boulevard Langelier.

Tandis qu'ils roulaient vers la basse ville, l'homme questionnait Maxime sur ses activités. Qu'avait-il fait durant les vacances de Noël ? S'était-il amusé ?

L'enfant avait demandé au clown de le laisser au coin de la rue du Pont ; il arrêterait au dépanneur. L'homme avait proposé à Maxime de l'attendre ; celui-ci avait refusé. Il voulait passer devant le centre récréatif.

— Au cas où mes amis seraient là.

— Ce n'est pas très prudent avec ton épaule…

— Ça ne me fait pas mal. Merci de m'avoir amené.

— Merci pour le dessin. Il est très réussi.

Maxime avait protesté ; il ferait beaucoup mieux quand on lui ôterait son bandage. Mais le clown avait tellement insisté qu'il lui avait donné un des dessins qu'il avait faits avec Élodie.

Maxime était sorti de la voiture et avait couru vers le dépanneur illuminé de guirlandes de Noël. Il avait acheté une bouteille de Coke, car Jérôme adorait cette boisson. Et un sac de chips au ketchup, ses préférées. Il marchait lentement, étrangement ému par son quartier. Il avait l'impression de l'avoir quitté depuis des semaines, des mois. L'employé du dépanneur ne cacha pas sa surprise en le reconnaissant.

— Je pensais que t'étais… enfin, que t'étais parti. Et ton père ?

— À l'hôpital.

— Raconte-moi donc…

— Je ne m'en souviens plus. C'est à cause du choc.

Maxime avait décidé de tenir sa promesse et de jouer à l'amnésique chaque fois que c'était nécessaire.

La réponse de Maxime avait déçu le commerçant qui insistait pourtant. Est-ce que Bruno allait bientôt quitter l'Hôtel-Dieu ? Combien de balles avait-il reçues au juste ?

— Il faut que j'y aille, l'avait interrompu Maxime en ramassant sa monnaie.

Tous les gens qu'il rencontrerait dorénavant seraient-ils aussi curieux que cet homme ? Il avait raconté l'agression à ses amis intimes, sans toutefois fournir trop de détails parce que Maud le lui avait interdit, mais il ne voulait pas en parler à n'importe qui, se rappeler sans cesse l'événement, le revivre. Il s'avança jusqu'au bord de la rivière Saint-Charles. Il avait joué là, de l'autre côté du garde-fou avec ses amis, quelques minutes avant l'agression. Ils s'étaient lancé des boules de neige. Jérôme en avait glissé une dans son manteau. Est-ce qu'on ne pouvait revenir dans le temps, tout oublier ? Il aurait aimé avoir vraiment perdu la mémoire ; il ne serait jamais obligé de mentir et il ne serait pas là, à pleurer devant la rivière enneigée. Plus rien ne serait jamais comme avant, et il le savait. Le cocon dans lequel le gardait Maud allait se déchirer bientôt ; il devrait en sortir pour affronter… quoi ? Qu'est-ce qui l'attendait quand son père serait guéri ? Pourquoi est-ce que sa mère n'était pas venue le chercher ?

Le ricanement d'un goéland lui avait fait lever la tête. L'oiseau avait volé autour de lui, guettant une croustille, mais Maxime avait secoué la tête.

— Non, c'est pour mon ami.

L'oiseau s'était tout de même posé sur un des piliers de la clôture et avait crié de nouveau, mais Maxime s'en était tenu à sa décision. La rue de la Reine était très calme et son silence avait apaisé Maxime. Il avait accéléré le pas ; les habitants n'avaient pas mis beaucoup de décorations à leurs balcons et l'enfant, qui s'était habitué à la magie lumineuse des rues de Sillery, trouvait son quartier subitement sinistre. Son malaise s'était estompé en atteignant la rue Dorchester où les commerçants avaient tapissé leurs boutiques de guirlandes rouges et vertes. Maxime s'était arrêté devant le restaurant chinois pour lire le menu, se souvenant d'un souper avec son père, la soupe aux won-tons, les *egg rolls*, le poulet aux ananas, les *spare ribs*... Il commençait à avoir faim ; peut-être que Maud lui suggérerait de souper avec Jérôme et qu'elle viendrait le chercher chez lui ensuite ?

Jérôme était content de le voir et sa mère, qui s'apprêtait à faire réchauffer de la soupe aux légumes, avait ajouté un bol.

— Je devais souper avec Maud...

— Ce n'est pas un petit peu de soupe qui va te couper l'appétit, avait plaidé Mme Bergeron. Ça va être prêt dans deux minutes. Tu l'appelleras après. D'ici à ce que vous soyez rendus chez elle, tu auras digéré !

Jérôme s'attablait déjà et Maxime l'avait imité.

* * *

Le calme était peu à peu revenu dans l'aile de pédiatrie du CHUL. Les victimes de l'accident reposaient dans un état stable qui permettait aux parents d'espérer une heureuse issue. Les infirmières de jour avaient prolongé leur temps de travail pour permettre à leurs collègues du soir de prendre connaissance de toutes les informations concernant les nouveaux patients. Les parents s'étaient regroupés pour se réconforter, se relayer pour aller acheter des sandwichs et du chocolat, même si personne n'avait faim.

Denise Poissant était allée chercher du café et s'était assise entre deux femmes dont les fillettes étaient blessées. Elle avait écouté le récit de l'accident et la description des blessures des enfants avec intérêt. Elle avait interrogé tous les autres parents, demandé des précisions, puis leur avait donné quelques conseils ; il ne fallait pas hésiter à discuter avec les médecins.

— Ils ne savent pas tout. Ça fait plusieurs fois que j'amène mon fils et ils ne trouvent pas ce qu'il a. Plusieurs médecins ont vu Kevin sans savoir de quoi il souffre. Soyez exigeants.

Les parents acquiescèrent vaguement. Cette jeune femme qui leur souriait avait été aimable d'aller chercher du café, mais ils auraient préféré qu'elle les rassure au lieu de semer le doute dans leur esprit en critiquant les médecins. La mère d'une des victimes protesta : son aîné avait été soigné pour une pneumonie un mois plus tôt et il se portait à merveille aujourd'hui.

— Ils l'ont très bien traité. J'ai confiance.

Denise Poissant fixa la femme quelques secondes avant de quitter la pièce en marmonnant de vagues salutations. Que savait cette grosse truie de la compétence des médecins ? Avait-elle fréquenté autant qu'elle les hôpitaux ? Qui était-elle pour mettre en doute ses affirmations ? On conseille les gens et voilà comment ils vous remercient.

Denise Poissant reprit son poste auprès de Kevin ; il commençait à transpirer comme prévu. L'insuline pouvait entraîner des suées et Kevin s'agiterait bientôt avant de replonger dans le sommeil.

Le Dr Duchesne ne put cacher son étonnement en constatant l'état de Kevin.

— On va bien sûr le garder pour la nuit, madame Poissant. Et faire d'autres tests.

— Mais qu'est-ce qu'il a ? demanda Denise d'un ton dramatique.

— On va le trouver, madame, promit le Dr Duchesne. On va chercher et on va trouver.

Dès qu'elle le put, Nicole fit part au Dr Duchesne des doutes qu'elle partageait avec le Dr Mathieu à propos de Kevin.

— Il a deviné juste, fit Martine Duchesne. On pourrait être en face d'une maladie rare. Kevin pourrait souffrir de tyrosinémie par exemple, ou de porphyrie, mais la fréquentation de plusieurs hôpitaux est suspecte. Il faut qu'on puisse investiguer dans ce sens…

— J'ai lu ce que le Dr Mathieu m'a prêté sur le syndrome de Münchhausen. C'est terrifiant. Et inimaginable. J'avais dévoré le roman de Lieberman, *La nuit du solstice*, mais je n'imaginais pas qu'un personnage aussi malade puisse réellement exister.

— La réalité dépasse la fiction. L'enfant est maintenant excité. C'est anormal. J'ai prévenu l'assistante sociale.

— Qu'est-ce qu'on va faire avec Kevin Poissant ? Si Pierre Mathieu a mis le doigt sur le bobo, cette femme est une criminelle.

— On n'a pas de preuve formelle. Elle va probablement nier, mais elle ne réussira pas à déguerpir avec son fils. On a besoin de temps pour faire la preuve que Denise Poissant nuit à Kevin. Il faut qu'ils soient séparés au moins deux jours, qu'on l'examine, qu'on l'observe en son absence. Dans quarante-huit heures, les résultats des tests auront changé, puisqu'elle n'aura pas pu donner de médicaments à Kevin. Elle ne pourra pas nous raconter d'histoires ! La DPJ ne va pas se contenter de nos impressions…

— Je vais croiser les doigts. J'ai souvent entendu mon mari pester parce qu'il manquait de preuves dans une enquête.

— Comment va-t-il ?

— Il rentre tantôt à la maison.

Rouaix était si heureux de quitter l'hôpital que sa joie effaça la lassitude de Nicole. Il chantait quand elle le rejoignit dans sa chambre ; sa valise était posée juste à côté de la porte.

— Je suis tellement content de partir d'ici ! Et je vais pouvoir profiter de mon bonheur. Ah ! Graham a enfin retrouvé Maxime !

L'énigme Kevin avait fait oublier à Nicole la disparition de l'enfant.

— Où était-il ?

— Chez un de ses amis. Il était parti avec un clown.

— Grimace ?

— Oui. Il l'a reconduit chez son copain.

— Maud était vraiment inquiète…

— Rappelle-toi quand Martin s'était rendu au centre commercial sans nous avertir. Il n'était parti qu'une heure…

Nicole soupira. Elle doutait que Martin participe avec enthousiasme à la petite fête préparée pour le retour d'André à la maison. Il avait à peine prononcé trois mots ces derniers jours. Elle avait insisté pour savoir ce qui le tracassait ainsi, mais il avait nié, répété qu'il n'avait pas envie de retourner au cégep. Dans la voiture, elle s'en ouvrit à son mari.

— Il s'enferme dans sa chambre, écoute sa musique. Je doute pourtant que ce soit le remords d'avoir eu un accident.

— Ou l'idée de devoir nous rembourser les réparations de l'auto.

— Ou de ne pas être allé te voir… Heureusement que d'autres sont plus fiables. Aucun patient n'a eu autant de visites que toi !

Rouaix admit qu'il avait été bien entouré. Et gâté.

— Oui, les truffes de Josette sont fabuleuses ! commenta Nicole. Tu lui demanderas la recette. Elle doit mettre pas mal de whisky…

— On pourrait aussi les inviter à souper demain avec Graham et Gagnon.

— Vous allez parler de pêche toute la soirée ?

Rouaix attrapa la main de sa femme et la baisa en promettant qu'ils aborderaient d'autres sujets. Josette encourageait Claude à pêcher, mais elle ne l'accompagnait pas souvent.

— Ouf ! j'aurai au moins une alliée !

Chapitre 10

Il fut peu question de saumon et de truite arc-en-ciel au souper. Le mari de Josette n'avait pu se libérer.

— C'est dommage qu'on les ait ratés, fit Graham en sirotant un verre de Saint-Julien. J'aime bien Josette. Elle est rigolote, toujours de bonne humeur.

— Elle m'a montré les photos de pêche de Claude. C'est un fichu de beau chalet !

— Où est-ce ? s'enquit Alain Gagnon. Je cherche toujours un chalet à louer, vous savez...

Graham claqua des doigts. Avait-elle mentionné à Nicole que Denise Poissant leur avait aussi menti à propos du chalet de son mari ?

— Quand on a vu Bernard Rivet à Montréal, on lui a demandé s'il était intéressé à le louer.

— Et la réponse était non ?

— Le chalet appartient à sa famille et il ne peut en disposer librement. Tout visiteur doit être accompagné d'un membre de la famille Rivet. Elle le savait. Elle ment sur tout.

Maud Graham posa son verre. Les confidences de Maxime au sujet de Denise Poissant l'avaient inquiétée.

— Et avec raison ! s'écria Nicole. Le Dr Duchesne a déposé une plainte avant de quitter l'hôpital. On verra demain les gens de la DPJ.

— Déposez aussi une plainte dans mon service, suggéra Graham. On aura plus de liberté pour agir...

— Après ce que tu m'as rapporté, on n'a plus aucun doute à son sujet. Le Dr Mathieu rentre demain de Floride. On surveille Denise Poissant du mieux qu'on peut, mais il faudrait une caméra braquée sur elle vingt-quatre heures sur vingt-quatre. Et avec les cinq victimes de l'accident qui nous sont tombées dessus hier, sans compter les débordements habituels de l'hiver, c'est…

— … difficile de la prendre en flagrant délit, continua Rouaix. Elle niera.

— Tu es certaine de ce que Maxime t'a dit ? Tu devais être troublée…

Graham reconnut qu'elle s'était emportée contre Maxime. Quand elle l'avait enfin rejoint chez Jérôme, après avoir eu si peur, la détective avait éprouvé un indicible soulagement et elle avait étreint l'enfant de toutes ses forces. Puis elle s'était mise en colère, avait même crié. Ne lui avait-elle pas dit de l'attendre ? De ne pas parler à des inconnus ? Il avait tenté de se justifier en l'assurant qu'il n'avait dévoilé aucun détail de l'agression au clown, mais elle lui avait coupé la parole pour lui raconter les cas tragiques sur lesquels elle avait enquêté. Des enfants violés, assassinés parce qu'ils avaient cru aux bonnes paroles d'un étranger.

— Je ne suis plus un bébé, avait rétorqué Maxime. On ne m'attire pas avec des bonbons.

— On n'en a pas besoin ! Tu suis n'importe qui sans qu'on te promette quoi que ce soit !

— Tu conduis trop vite, avait dit Maxime.

Elle s'était tournée vers lui et avait eu un choc en lisant l'effroi sur son visage crispé, mouillé de larmes.

« Je lui fais peur », s'était-elle dit. Et pas uniquement parce qu'elle dépassait la limite de vitesse. Elle s'était garée sur le bord de la route et s'était excusée en pleurant.

— J'ai pensé que je ne te reverrais jamais, Maxime, tu comprends ? Je ne pouvais pas l'accepter !

Il s'était jeté dans ses bras et ils étaient demeurés longtemps immobiles, rassérénés tout autant qu'effrayés par la force de leur attachement.

— Il neige, avait noté Maxime quand Graham avait repris le volant.

Elle lui avait proposé une promenade sur la terrasse Dufferin après le souper. Il serait un peu tard, mais il fallait bien qu'il profite de ses derniers jours de vacances.

Ils se garèrent rue Dalhousie, car Maxime voulait emprunter le funiculaire pour rejoindre la terrasse, et Graham se souvint de son anniversaire. Alain avait loué une chambre magnifique à l'hôtel Dominion. Ils avaient fait l'amour dans les draps si doux, si moelleux que Graham s'était dit qu'elle demanderait au directeur de l'hôtel où il achetait la literie. Puis ils avaient contemplé le coucher de soleil qui embrasait les toits des maisons de la rue Saint-Paul, avant de faire quelques pas jusqu'au Laurie Raphaël. Le tartare aux fraises et aux pétoncles et la papillote de homard à la vanille resteraient gravés dans sa mémoire jusqu'à la fin de ses jours, comme l'expression extatique d'Alain quand il avait goûté le gâteau fondant au chocolat. Son sourire béat l'avait émue. Elle avait envié cet homme qui savait si bien jouir de la vie et espéré qu'il l'influence un peu. Beaucoup.

Il y avait tant de guirlandes dans le quartier du Vieux-Port que l'air semblait se réchauffer malgré l'humidité qui s'élevait du fleuve. Les commerçants avaient rangé les pères Noël et les lutins, mais les décorations et les couronnes de sapinage égayaient toujours les portes et les fenêtres, caressaient les vitrines où dormaient des bijoux et des fourrures, des canards de bois et des écharpes de soie.

— C'est amusant de monter, mais ça ne dure pas assez longtemps, confia Maxime à Graham quand ils sortirent du funiculaire à la suite de touristes français.

Il courut vers la rambarde, grimpa sur le rebord et se pencha, pointa le doigt vers la rue Sous-le-Fort.

— On était là, il y a trente secondes.

La quasi-simultanéité de sa présence en deux lieux l'émerveillait. Il s'enchantait des lumières qui traçaient la route jusqu'à l'île d'Orléans, du son de la corne de brume du traversier, de la hauteur des tours du château Frontenac, du halo mordoré qui les nimbait.

— Es-tu déjà entrée dans le château ?

— Bien sûr. Je viens parfois y boire un verre. C'est le plus beau bar de la ville.

Elle indiquait l'emplacement du bar Saint-Laurent, en évoquait l'atmosphère feutrée, délicieusement désuète et chic, les feux de cheminée et le service impeccable, à la fois cordial et stylé.

— Ils font le meilleur dry martini du monde ! On ira quand tu seras grand.

— Tu y vas avec Grégoire ou Alain ?

— Avec les deux.

Des cris joyeux, des rires attiraient les passants vers la patinoire où des couples s'élançaient au son d'une valse de Strauss, et Graham avait regretté qu'Alain Gagnon ne soit pas avec eux. Elle aurait aimé se promener avec lui jusqu'aux glissades, monter vers les Plaines et qu'il l'embrasse dans la nuit étoilée. Cliché de romans-photos ! Mon Dieu, si elle continuait, elle rêverait de champagne, de bain moussant à la chandelle, de perles et de gerbes de roses rouges pour la Saint-Valentin !

— T'as déjà glissé ? avait questionné Maxime.

— Oui, quand j'étais jeune. Je sais ce que tu as dans la tête, et c'est non : pas avec ton épaule blessée.

— Je n'ai même pas mal. Je l'ai dit à la mère de Kevin quand elle a proposé de me faire une piqûre.

— Une piqûre ?

Maud Graham s'était figée, soudainement indifférente à la beauté qui l'entourait. Que signifiait cette histoire de piqûre ?

L'enfant lui raconta ce qu'il avait vu. Elle le lui fit répéter, préciser chaque geste.

— Elle tenait la seringue dans le tube qui est branché sur Kevin. Ça fait comme un Y, elle a planté l'aiguille à peu près dans le milieu. Je crois qu'elle n'était pas contente que je revienne.

— Pourquoi ?

— Elle me souriait, mais ses yeux restaient froids. Comme la prof de maths quand elle nous annonce un mauvais résultat. Elle a un petit sourire traître.

— Tu as déjà vu Denise Poissant donner d'autres piqûres à Kevin ?

Non. Maxime se remémorait son séjour à l'hôpital ; il n'avait vu aucune seringue dans les mains de Mme Poissant quand il partageait la chambre de Kevin. De quoi souffrait-il donc pour être si souvent à l'hôpital ?

— C'est une bonne question, fit Alain Gagnon en versant du vin dans le verre de Rouaix.

— C'est même une réponse, déclara Nicole. On a tous les éléments pour affirmer qu'il s'agit d'un cas de Münchhausen par procuration.

— Éclaire-moi, la pria Alain Gagnon, j'en sais moins que vous.

— C'est un syndrome extrêmement rare, heureusement. Il existe dans une forme « simple » quand les bourreaux se nuisent à eux-mêmes, quand ils sont leur propre victime.

— Du masochisme ?

— C'est plus compliqué. Les gens qui souffrent du syndrome de Münchhausen ne recherchent pas tant la souffrance que la maladie.

— La maladie ?

— Oui, ils peuvent la simuler ou la créer de toutes pièces.

— C'est la tendance à fabuler qui a donné le nom au syndrome ? On s'est inspiré des aventures du baron de Münchhausen ?

— Oui, le récit des fabuleuses histoires de ce baron allemand devait être cependant plus amusant que celui des patients… Ils se présentent au médecin et lui racontent une histoire, leur histoire médicale inventée. Il y a une partie de vérité dans le récit, une maladie bien réelle dans leur enfance ou dans leur hérédité, mais l'affabulation est caractéristique. Et peut avoir des conséquences très graves. Ces menteurs particuliers sont surnommés les «balafrés de l'abdomen». Leurs récits induisent les médecins en erreur, entraînent des interventions inutiles…

— Sans que le malade proteste?

— Il vit dans un désir de faire partie du corps médical, de le toucher d'une manière ou d'une autre. Plusieurs ne font pas qu'inventer une maladie, ils la provoquent. Ils vont avaler des médicaments ou des produits toxiques, se mutiler pour aller à l'hôpital.

— Mais ce n'est pas dans le but d'échapper à une obligation quelconque? avança Graham. Pas comme les hommes qui se mutilaient pour échapper à l'armée? Ou pour avoir une pension?

— Non, non, ils veulent être malades parce qu'ils sont fascinés par la maladie. C'est le cœur, le nerf de leur existence. Ils s'inventent des vies marquées par diverses maladies, en simulent ou les provoquent et se promènent d'hôpital en hôpital.

— Pourquoi?

— Parce qu'il y a toujours, à un moment ou à un autre, un médecin ou une infirmière qui doute de leur histoire. Imaginez un patient qui vient vous voir fréquemment, mais jamais, jamais pour le même mal. Ou pour le même mal, mais vous ne trouvez aucune explication logique à son problème. Vous vous posez des questions…

— Et vous lui en posez.

— Et il nie. Il fuit. Je dis «il» parce qu'il y a plus d'hommes qui souffrent du syndrome «simple». En revanche, ce sont surtout des femmes qui sont atteintes par la forme «par procuration». Elles-mêmes souffrent parfois d'une certaine forme du syndrome simple et ont, à tout le moins, une histoire médicale complexe.

— Assez pour s'attaquer à leur enfant? interrogea Alain Gagnon.

— Je sais, ça nous paraît tellement invraisemblable: une mère qui invente des maladies à son enfant. Ou pire, qui en crée. C'est un des problèmes avec ce syndrome. C'est si éloigné de l'image qu'on se fait d'une mère, qu'on n'y croit pas.

— D'autant plus que la mère semble aimante, précisa Graham. Denise Poissant a l'air de bien s'occuper de Kevin. Je l'ai vue et entendue ! Elle pose des questions pertinentes sur sa santé, discute sérieusement avec les médecins. Elle n'a pas le profil d'une marâtre qui bat son bébé.

— Au début, avoua Nicole, je la trouvais même trop couveuse.

— Trop exigeante avec vous ?

— C'est sûr qu'elle est exigeante : elle veut qu'on multiplie les analyses, elle souhaite des opérations. Qui seront inutiles. Et elle nous aura bien eus !

— Comme si elle voulait être plus forte que vous ! avança Alain Gagnon.

— Si elle est plus forte que nous, que les médecins, c'est qu'elle est plus forte que la maladie et que la mort, puisque le médecin est celui qui a le plus d'autorité sur la vie. Alors…

— Ce jeu morbide la rassurerait ? murmura Rouaix. Elle aurait l'impression de contrôler sa propre existence ? De régner, avec un droit de vie ou de mort, sur ceux qui l'entourent ?

— Qui peut le dire ? On émet des hypothèses. Il y a peu de témoignages de ces femmes, car elles refusent d'être traitées en psychiatrie. Parce qu'elles nient le trouble de leur relation parent-enfant. Elles n'admettent pas que c'est la création de maladies, vraies ou fausses, qui est à l'origine des soins inadéquats que les médecins prodiguent à leur enfant.

— C'est très pervers.

— Et difficile à prouver…

— Il faut avoir plusieurs éléments. C'est leur addition qui engendre le doute.

— Dans le cas de Denise Poissant, vous avez ce qu'il faut ! déclara Graham.

— L'injection dont a parlé Maxime est venue confirmer ce qu'on soupçonnait. Le tableau est complet. La DPJ commencera demain à vérifier dans d'autres hôpitaux. On sait déjà qu'elle est allée à l'Hôtel-Dieu de Québec. Quand elle arrive à l'urgence avec Kevin, c'est toujours pour un problème différent. Les signes incongrus se multiplient. Elle dit que Kevin était allergique à des tas d'aliments et de médicaments...

— Et aux animaux, ajouta Graham, mais c'est faux. La blonde de Bernard Rivet a un chat et Kevin n'a eu aucune crise d'asthme quand il est allé à Montréal.

— L'histoire médicale de Kevin, poursuivit Nicole, reste donc incohérente malgré des batteries de tests qui ne révèlent aucune maladie rare. Denise Poissant ment sur la maladie, et sur beaucoup d'autres choses aussi. Elle a une excellente connaissance de la médecine et je dois dire, à regret, qu'on trouve beaucoup de ces mères dans notre milieu, soit des infirmières, des représentantes médicales, des physiothérapeutes, etc. Denise a un comportement curieux avec son fils. Quand on l'observe attentivement, on remarque qu'elle n'est intéressée par lui que quand on lui parle de sa maladie. Elle demande avec insistance qu'on lui fasse des examens, mais elle n'a jamais l'air de craindre le pire, comme si elle devinait l'issue de la maladie.

— Alors qu'une mère normale paniquerait si on cherchait de quelle maladie rare son enfant souffre ? dit Alain Gagnon.

— Oui, Denise Poissant est captivée, mais pas inquiète. Au début, c'est trompeur... On aurait pourtant dû le voir plus vite ! Sauf qu'elle semble si attachée à Kevin. Elle refuse de s'en séparer.

— Voyons, Nicole, tu as dit toi-même qu'on établit ce diagnostic la plupart du temps après des mois, voire des années. Cette maladie est très bizarre. Comment se douter qu'une mère va inventer des symptômes ou en créer ?

— Il y avait déjà eu décès dans la fratrie, on aurait pu être plus suspicieux. Mais on redoute toujours l'erreur. Il y a eu un cas, aux États-Unis, d'une femme accusée à tort de nuire à son enfant, mais il s'agissait d'un syndrome très rare causé par un dosage étrange d'éthylène glycol dans le sang. On devrait…

— Arrête, Nicole ! s'écria son mari. Comment veux-tu soupçonner des gens qui ont perdu un enfant ? Tu es toujours bouleversée quand un bébé meurt. Vous suivez même des formations pour savoir comment parler aux parents en détresse. S'il fallait que vous vous mettiez à les soupçonner, s'ils le sentaient, ce serait épouvantable !

— Je sais, je sais et rien ne prouve que Denise a étouffé Jessica… Ça me fait peur d'y penser ! Mais nous parlerons à Denise. Avec la DPJ.

— Ce sera compliqué d'établir les preuves, dit Graham. Maxime a beau avoir vu ce qu'il a vu, Denise va nier. Que vaut la parole de l'enfant d'un informateur, traumatisé par une récente agression, face à cette femme qui paraît bien et qui est habituée à manipuler tout le monde ? Vous direz ce que vous savez, mais l'image de la madone, de la mère aimante est gravée en nous. On vous croira avec des preuves.

Nicole s'emporta ; ils ne pouvaient tout de même pas rester les bras croisés ! Elle espérait qu'on puisse installer une caméra vidéo dans la chambre et filmer Denise Poissant pendant qu'elle « traitait » Kevin. Mais elle ignorait la procédure et les délais pour obtenir les autorisations nécessaires.

— Et Denise Poissant va se douter que vous l'observez. Elle aura été forcée de discuter avec un travailleur de la DPJ, dit Alain Gagnon.

— Oui, elle sera au moins contrainte par la DPJ à laisser Kevin à l'hôpital.

— Ensuite ?

— À quoi penses-tu, Maud ?

— Je voudrais consulter un avocat. Me Lemieux me recevra rapidement, j'en suis certaine. Albert Girard était un de ses amis, il l'avait eu comme élève. Il sait que je cherche toujours à épingler son assassin.

— Et que tu y arriveras, compléta Alain Gagnon.

Graham lui jeta un regard désabusé. L'enquête piétinait et, à force de piétinements, on finirait par creuser un trou et tout serait englouti.

— Tu parles de l'affaire Girard ou Desrosiers? demanda Nicole.

— C'est lié: Desrosiers devait me révéler le nom de l'assassin de Girard. Au lieu d'avoir un criminel à rechercher, j'en ai deux.

— «On» en a… corrigea Rouaix.

— Tu ne reviendras pas au bureau tout de suite, même si tu suis l'affaire. Et je ne peux pas me plaindre de Trottier, il est efficace et souple.

— Souple? Il te supporte sans rechigner?

Graham rougit en tentant de sourire. Elle savait qu'elle était butée, de mauvaise foi et orgueilleuse.

* * *

Le bureau de Me Lemieux, situé dans le Vieux-Port, offrait une vue splendide sur le Saint-Laurent, mais Graham était trop pressée pour s'attarder à contempler le fleuve assoupi sous les glaces. Elle avoua à Robert Lemieux les résultats décevants de l'enquête concernant Albert Girard, mais l'avocat réagit en l'assurant de sa confiance.

— Vous trouverez.

— C'est ce qu'on m'a dit hier. Et, bizarrement, aujourd'hui je le crois. Après des mois à tourner en rond, j'ai l'impression que les rideaux vont se déchirer, que la solution n'est pas loin.

— Elle peut être effectivement très, très proche.

— Proche?

Il lui offrit un café sans répondre à sa question, mais Graham ne put s'empêcher de croire qu'il lui suggérait un indice. Il connaissait un élément qui pouvait l'intéresser, mais il était lié par le secret professionnel. Proche? Proche d'elle?

Elle devrait apprendre sur quelles affaires travaillait Me Lemieux; elle trouverait peut-être une ou deux réponses à ses mille et une questions ? Ou une piste. Ou même son ombre. Elle s'en contenterait.

— Le meurtre d'Albert Girard dérange plus de monde qu'on pensait et mon enquête gêne…

— Probablement, se contenta de dire Robert Lemieux. Au téléphone, vous m'avez mentionné une surveillance en circuit fermé ?

Maud Graham exposa le cas Poissant en appuyant sur l'urgence de la situation.

— On a une preuve directe avec Maxime, mais…

— Votre témoin oculaire a onze ans et sera impressionnable devant un jury. S'il se rend jusque-là… Son père est un criminel, l'avocat de Denise Poissant en fera état.

— C'est pour ça qu'on veut fouiller chez elle. Tout de suite ! La DPJ va obliger Denise à laisser Kevin à l'hôpital pendant quarante-huit heures. Habituellement, le délai est de vingt-quatre heures. Mais dans ce cas précis, il faut plus de temps pour que l'état de Kevin se modifie de manière évidente «grâce» à l'absence de sa mère.

— Mais pour le garder plus longtemps, ça vous prend une ordonnance du tribunal.

— Et on est jeudi. Denise Poissant repartira avec son fils samedi midi. Elle va nous échapper.

— Vous en parlez comme d'une femme dangereuse.

— On n'a pas de preuves, hormis le témoignage de Maxime. Mais il y a tant de mensonges dans son histoire. Ce n'est pas sans raison. L'idéal serait de la filmer. Chez elle, à l'hôpital. Et de fouiller…

— La surveillance est un problème délicat. On parle aussitôt d'atteinte à la vie privée. Vous connaissez la difficulté pour mettre quelqu'un sur écoute.

Graham soupira en enfilant la manche de son manteau. Robert Lemieux l'arrêta d'un geste de la main, souriant.

— Vous êtes toujours aussi impatiente, constata-t-il. N'avez-vous pas songé à l'opportunité exclusive ? Si, par exemple, on trouvait chez la coupable des médicaments que son enfant ne peut prendre seul ?

— C'est le cas. À moins qu'elle ne les lui donne, il ne peut pas les avaler. Il n'a même pas trois ans.

— Sauf si elle laisse traîner les flacons de pilules.

Graham secoua la tête. Denise Poissant ne s'en remettait sûrement pas au hasard en ce qui concernait son fils. Elle voulait au contraire tout contrôler.

— Ce n'est pas le fait qu'il puisse s'empoisonner en avalant des comprimés, mais simplement que ce ne serait pas elle qui en aurait décidé ainsi. Elle doit savoir exactement que telle quantité de pilules bleues donne tel résultat et que tel comprimé rose produit tel effet. Et elle-même doit prendre des tas de trucs.

— Et si vous aviez la preuve que trop de pilules ont été consommées ? Si, par exemple, vous saviez qu'elle a un flacon de comprimés destinés à un adulte, elle en l'occurrence, qu'elle ne doit pas dépasser telle dose et que les comprimés disparaissent trop vite ?

Robert Lemieux suggérait à Graham de jouer les agents doubles. D'aller chez Denise Poissant et de vérifier le contenu de son armoire à pharmacie à deux ou trois reprises.

— On pourrait fouiller avec un mandat, mais si elle décide de tout jeter après notre départ ? Ou de ne plus utiliser les médicaments ?

— Soyez plus subtils. Entrez en contact avec elle, pénétrez dans sa maison.

— Impossible, elle me connaît. Elle sait que je suis policière. Je suis déjà allée chez elle pour donner un cadeau à Kevin. J'ai besoin d'un complice.

* * *

Le temps s'était refroidi. Maud Graham remonta le capuchon de son anorak et mit ses gants, même si sa voiture n'était pas garée très loin du bureau de Me Lemieux. Après l'agitation des fêtes, les rues plus calmes semblaient endormies, comme les grues immobiles aux alentours du bassin Louise qui attendaient le redoux pour reprendre leurs activités. Maud Graham tapa dans ses mains pour se réchauffer. Et parce qu'elle était satisfaite de sa visite à Me Lemieux.

Un agent double… Pour quelques jours, Rouaix serait heureux de se prêter à cette mystification. Elle lui téléphona dès qu'elle fut de retour à son bureau.

— J'ai du nouveau! Je vais acheter des sandwichs à L'Épicerie européenne et je t'expliquerai en dînant. Est-ce que j'en apporte à Nicole?

— Non, elle travaille aujourd'hui. Et Martin fuit la maison. Dieu sait pourtant que je ne lui ai pas dit la moitié de ce que je pensais de l'accident d'auto. Il me regarde comme si j'étais un monstre! On ne sait plus quoi faire. Quand on lui demande ce qu'il a, il hausse les épaules. Je me répète toujours que j'ai de la chance qu'il ne soit pas tombé dans la drogue, mais si je me trompais? Quand on est parent, on a le nez collé sur le problème, on ne voit rien. Mais revenons à cette histoire…

— Je pense que je vais enfin avancer, annonça Graham. Me Lemieux a éclairé ma lanterne…

— Ah oui? dit Moreau tandis que Graham raccrochait. Me Lemieux sait qui a tiré sur ta source? Tu finiras par trouver qui c'est, si tout le monde t'aide.

— Arrête, Moreau, fit Berthier, tu n'es pas drôle.

Berthier adressa une moue désolée à Graham qui lui sourit à demi; comme elle le plaignait d'avoir à supporter un tel veau. Non, les veaux sont mignons, elle aimait bien les veaux. Et tous les animaux. En fait, il n'y avait que la coquerelle qui déplaisait à la détective. Dans ses lectures sur l'entomologie, elle avait appris que cet insecte vivait sur terre depuis deux cent cinquante millions d'années, qu'il résistait à tout et qu'il était donc ardu de s'en débarrasser. La blatte était pugnace, collante, indésirable, tout le portrait de Moreau. Elle le regarda s'éloigner vers le corridor. Il lui parut plus gros. Elle se réjouissait qu'il s'empâte quand elle comprit qu'il paraissait plus rond parce qu'il se tenait près de Berthier qui, lui, avait beaucoup maigri.

Elle en parlerait à Rouaix qui savait peut-être des détails sur la santé de leur collègue.

— Non, lui répondit-il en déballant les sandwichs. Florentin ou milanais ?

Comme Graham hésitait, il choisit le premier. Il adorait le mélange de rôti de porc italien, de gorgonzola et d'épinards à l'huile.

— J'ai trouvé Berthier amaigri, reprit-il, mais personne ne m'a rien dit à ce sujet.

— Josette ?

— Non, elle a mentionné tous ceux qui avaient la grippe et s'absentaient, mais rien de plus. Qu'est-ce que tu imagines ?

— Je ne sais pas. Il est très, très gentil avec moi.

— Il l'a toujours été. Berthier est un bon diable.

— Il recherche davantage ma compagnie. Comme si je pouvais le rassurer. Je lis toujours de l'inquiétude dans son regard. De quoi a-t-il peur ? Et en quoi puis-je l'aider ?

— Tu es vraiment incroyable, s'énerva Rouaix. Tu crois qu'il est malade et nous le cache ?

— Il veut peut-être me parler. Parce que je suis une femme. Il s'imagine… je ne sais pas… Qu'est-ce qu'il peut bien avoir ?

— C'est récent en tout cas. On a eu notre examen médical il y a six mois. Il devait être en forme à ce moment-là.

— C'est depuis ce temps qu'il dépérit. Je ne comprends pas ce qui lui arrive.

— Et Denise Poissant ? s'informa Rouaix avant de croquer son sandwich.

Maud Graham démontra l'efficacité du procédé suggéré par Me Lemieux. André Rouaix s'enthousiasma.

— Je veux, je vais être cet agent double ! Je m'ennuie tellement, Graham, tu ne peux pas me refuser ça.

— Avec ta jambe…

— Ma jambe va bien.

— Pour tout te dire, je me suis rendue chez Denise Poissant tout à l'heure. Je me souvenais d'un immeuble à logements en face de chez elle. Il y a un studio à louer au rez-de-chaussée.

— C'est parfait ! Je pourrais m'y installer dès aujourd'hui.

— Je me demande seulement où on va trouver les crédits pour la location. Fecteau va râler.

— De toute manière, je ne resterai pas deux mois dans cet appartement. Ce n'est même pas l'affaire d'une semaine.

— Denise est méfiante, rien ne nous permet de croire qu'elle t'accueillera si vite chez elle.

Rouaix n'écoutait pas les mises en garde de Graham. Il s'excitait à l'idée d'emprunter une autre personnalité pour quelques jours.

— On va bien mettre au point mon personnage. Reparle-moi des petites pilules…

— On pourrait, grâce à la DPJ, aller fouiller chez Denise, mais je ne suis pas sûre qu'on aurait des preuves solides. On trouvera évidemment des médicaments, mais rien ne prouve qu'elle les donne à son fils.

— Alors ?

— À l'hôpital, on va lui remettre dix comprimés de placebo. Et on lui prescrira dix autres comprimés à se procurer en pharmacie. Elle les achètera en sortant du CHUL, j'imagine. Ou peu de temps après. Toi, tu devras t'introduire chez elle, avec son consentement, et compter les comprimés de placebo et les pilules neuves à trois moments différents. Si tu constates qu'il en disparaît trop en fin de semaine, après le retour de Kevin, ça nous indiquera qu'elle en utilise plus que ce qu'on lui a recommandé. Si on lui fait une prise de sang et qu'il n'y a pas de traces du médicament, ça voudra dire que c'est Kevin qui a avalé les pilules. Ce sera de la vitamine B6 sans danger réel pour Kevin. Le médecin lui remettra une ordonnance avec le nom du médicament en latin. Pour faire plus « savant ».

— Ça devrait la séduire et la pousser à le tester sur son fils.

— On pourra aussi faire une analyse à Kevin.

— Elle ne va pas rester inactive durant deux jours. On est en train de démolir son univers. Elle va réagir et sa manière de s'exprimer passe par la création de maladies.

— Elle ne résistera pas à l'envie de consulter notre bon Dr Legault.

— J'espère que oui ! Tu as intérêt à être convaincant !

— Je le serai. Et si Denise parle des médicaments qu'on lui a prescrits, le Dr Legault confirmera leur nouveauté.

En préparant du café, Rouaix déclara à sa collègue qu'il n'emporterait qu'une chose avec lui dans son nouvel appartement : sa cafetière à pression.

— Je ne boirai plus jamais de l'eau de vaisselle d'hôpital !

L'odeur du café emplit la pièce et André Rouaix prit une longue inspiration, ferma à demi les yeux, se recueillant avant de boire la première gorgée.

— Ça, c'est la vie ! déclara-t-il en dégustant son espresso. Et Me Lemieux ?

— Il a laissé entendre qu'on s'agite près de moi.

Rouaix vida sa tasse, la reposa lentement sur le comptoir de la cuisine.

— Tu serais dans une ligne de tir ? Laquelle ?

— Robert Lemieux ne dit jamais rien qui soit inutile.

— Dans quoi a trempé Desrosiers, hein ? Dans quoi ? C'est juste un petit dealer. Il ne t'a toujours rien dit ?

Maud Graham pesta. Non, Bruno Desrosiers s'enfermait dans son mutisme.

— Il a peur, même s'il ne sait pas de qui. S'il veut qu'on arrête ce « qui », il faudra qu'il coopère. Je ne sais plus quoi inventer pour le persuader de parler. Quand il sera en meilleure forme, peut-être… Je l'ai trouvé très fatigué quand je l'ai vu ce matin.

— Tu lui as glissé un mot de l'incident avec Maxime ?

Graham baissa la tête. Non, elle n'avait pas raconté cet épisode à Bruno Desrosiers. Tout était rentré dans l'ordre et

Maxime avait juré qu'il ne monterait plus jamais dans la voiture d'un inconnu.

— On est mieux d'oublier cette histoire-là, avait murmuré Maxime avant de déclarer qu'il avait faim.

Graham avait narré à Desrosiers leur visite au château Frontenac. Il l'avait remerciée de prendre soin de Maxime, de veiller sur lui avec tant d'attention.

— J'étais assez mal à l'aise, confia Graham à Rouaix. J'avais perdu Maxime, et Desrosiers me félicitait de m'en occuper aussi bien… Il a dû deviner mon embarras, car il me regardait d'un drôle d'air. J'aurais peut-être dû lui parler du clown. Après tout, c'est son fils. Et je ne suis même pas la mère.

— On a des nouvelles d'elle ?

— Oui, on l'a retrouvée. Elle prétend qu'elle ne peut venir au Québec maintenant. Ça l'arrange que je garde Maxime. Moi, ça me fait plaisir, évidemment. Égoïstement. Cependant, si je pense au petit, j'ai envie d'aller chercher cette femme et de la traîner par la peau du cou jusqu'à Québec, pour qu'elle prenne ses responsabilités. C'est moi qui ai eu peur quand Maxime a disparu. Si tu savais !

Elle pratiquait un métier qui l'avait habituée aux décharges d'adrénaline, à la respiration coupée, aux sueurs froides, à l'affolement du cœur. Elle était entrée avec Rouaix dans une maison où un dément menaçait de jeter son enfant par la fenêtre, elle avait trouvé des corps atrocement mutilés, mais ces peurs, aussi intenses soient-elles, étaient reliées à son travail, lui étaient justement nécessaires. Un détective qui ignorait la peur serait un piètre et dangereux enquêteur. Graham détestait les kamikazes. Elle ne recherchait pas les sensations fortes. Elle les gérait quand elles survenaient, les acceptait parce qu'elles faisaient partie de son boulot.

L'angoisse qui l'avait étranglée quand elle avait cru qu'on avait enlevé Maxime s'apparentait, elle, à celle qui la tenait éveillée, tard dans la nuit, quand elle craignait le pire pour Grégoire.

— J'ai fait des cauchemars toute la nuit, dit Graham. Maxime plongeait dans un trou noir, tombait dans un précipice ou descendait en enfer, avec le diable et les flammes, et… Ce n'est pas sa mère qui s'est réveillée aux deux heures pour aller vérifier s'il était toujours dans son lit. Et elle ne voit pas des espions partout, elle.

* * *

Bruno Desrosiers avait d'abord refusé de voir le prêtre qui suivait l'infirmière venue lui donner des médicaments. Il lui avait fait signe de s'en aller, mais l'homme avait tiré une feuille de papier de la poche de son manteau et l'avait agitée devant Bruno Desrosiers. Celui-ci avait mis quelques secondes à comprendre qu'il s'agissait d'un dessin de Maxime. Le prêtre s'était approché en souriant. Il avait débité des banalités pendant que l'infirmière vérifiait la pression du malade, mais dès qu'elle s'était dirigée vers un autre patient, il avait tendu le dessin en souriant.

— Ton garçon se débrouille bien, malgré son épaule.

— C'est lui qui vous a donné ce dessin ?

— Oui, je l'ai rencontré quelques fois au CHUL. Déguisé en clown. J'adore me déguiser. J'ai même raccompagné Maxime chez un de ses amis.

— Un ami ?

— Oui, on est sortis en même temps de l'hôpital. Il est vraiment mignon, Maxime, très vif, drôle.

Bruno Desrosiers avait gardé le silence, attendant la suite. Le tutoiement avait coloré l'entretien d'un ton légèrement méprisant.

— Tu ne parles pas beaucoup, nota le visiteur.

— Je n'ai rien à dire.

— C'est parfait. Continue comme ça. Ça serait dommage qu'il arrive quelque chose à Maxime.

Bruno Desrosiers avait tenté de se redresser dans son lit.

— Reste tranquille. C'est tout ce qu'on te demande. Ton gars, qu'est-ce qu'il sait ?

— Rien. Il est trop jeune pour comprendre. Je lui ai expliqué qu'il y avait erreur sur la personne. Il n'avait jamais vu avant, ni moi non plus d'ailleurs, les gars qui nous ont tiré dessus. Je ne sais même pas pourquoi c'est arrivé. Que voulez-vous que je raconte aux enquêteurs ?

L'homme tapota le dessin de Maxime avant de s'écarter du lit. Il mit un doigt sur ses lèvres en guise de salutation et disparut dans le corridor.

Bruno Desrosiers tremblait si fort que les traits rouges du camion dessiné par son fils tanguaient devant ses yeux.

Qui était cet homme ? Qui l'avait envoyé ? Pourquoi Graham n'était-elle pas allée chercher Maxime ? Si Maxime n'était même pas en sécurité avec elle…

Desrosiers n'aurait jamais pu deviner que ce faux prêtre était un comédien qui avait un faible trop prononcé pour la coke, qui avait été arrêté par Jacques Berthier. Et que celui-ci avait fermé les yeux sur son vice en échange de ses prestations dans les hôpitaux.

Chapitre 11

Il ventait si fort quand André Rouaix emménagea dans le studio qu'il eut de la difficulté à garder la porte de l'immeuble ouverte. Elle se refermait en claquant violemment malgré la cale qui devait l'immobiliser. Les bourrasques cinglaient les visages des passants, soulevaient la neige, l'entraînaient au cœur des sifflements. Rouaix houspilla Martin pour qu'il se dépêche à rentrer ses valises. Celui-ci s'exécuta en silence. Il n'avait pas desserré les dents depuis que son père l'avait prié de l'aider à déménager. Nicole approuvait la décision de son mari parce qu'elle ignorait qu'il lui mentait, qu'il se servait de son travail comme alibi pour avoir un studio. Il avait dit qu'il n'y resterait que quelques jours, pour sa filature, mais Martin n'était pas si naïf. À quoi pensait son père ? Pourquoi s'était-il entiché de cette blonde qu'il avait vue à l'hôpital ? Il avait été si surpris qu'il lui demande de l'aider à transporter ses effets personnels qu'il avait obéi sans discuter. L'impudence de son père le sidérait ; il ne cachait même pas sa satisfaction. Nicole était partie travailler au CHUL comme tous les matins. Ils avaient bu leur café ensemble, elle avait enfilé son manteau et elle était sortie sans qu'il tente de la retenir.

— On s'appelle, avait-il seulement marmonné avant de se replonger dans son journal.

Puis il avait fait ses valises et lui avait dit qu'il avait besoin de lui pour les transporter. Ils étaient là maintenant et Martin se réjouissait que le studio soit aussi moche.

— Boirais-tu un café ? proposa Rouaix en branchant la cafetière à espresso.

— Non.

— Martin…

— Quoi ?

— On dirait que tu es fâché contre moi. Ça devrait plutôt être l'inverse, tu ne crois pas ?

Ah bon ? C'était sa faute ? C'était lui qui mentait à Nicole peut-être ?

Martin remonta la fermeture éclair de son manteau sans répondre et sortit en laissant la porte ouverte derrière lui. Son père serait obligé de s'extirper de son fauteuil pour s'en charger.

André Rouaix ferma la porte, puis se posta devant une fenêtre et regarda son fils traverser la rue. Il marchait d'un pas rageur, distribuant des coups de pied dans les blocs de neige durcis. Qu'est-ce qui le mettait à ce point en colère ?

Un mouvement dans une fenêtre chez Denise Poissant attira son attention. Il devait rencontrer cette femme le plus rapidement possible. Selon Graham, Denise Poissant était dans un état pitoyable. Elle avait très mal réagi quand l'assistante sociale lui avait ordonné de rentrer chez elle. Seule. Kevin, lui, resterait quarante-huit heures de plus au CHUL. Elle était folle de rage, avait protesté, supplié, crié, tempêté, mais elle avait dû se soumettre à la loi. Après avoir menacé tous les médecins de porter plainte, elle avait accepté les cachets qu'une nouvelle infirmière, Éliane, lui avait remis ainsi que l'ordonnance pour des calmants. L'assistante sociale qui l'avait raccompagnée jusqu'à la porte de l'hôpital lui avait conseillé gentiment de changer d'attitude. Et de prendre les médicaments qu'on venait de lui prescrire. Denise Poissant avait couru jusqu'à sa voiture sans lui répondre.

Un policier l'avait prise en filature. Son rapport à Maud Graham avait été bref : la suspecte était rentrée directement chez elle et n'en était plus ressortie. Dès que le policier avait vu Rouaix s'installer en face de chez Denise Poissant, il avait cessé la surveillance, comme convenu avec Graham. Celle-ci prenait le relais.

Rouaix lui téléphona à la minute où Denise Poissant quitta son domicile ; Graham était garée dans la même rue, un peu plus haut. Elle avait quitté le bureau dès que le policier lui avait fait son rapport. Elle avait parlé à Trottier d'une piste à vérifier.

— À propos de Desrosiers ?

Graham avait vaguement acquiescé. Après tout, Maxime était un Desrosiers, et c'était un Desrosiers qui avait vu Denise faire l'injection… Elle avait ramassé ses dossiers avant d'attraper son Kanuk.

— Qu'est-ce qu'elle a dit ? avait demandé Berthier.

— Elle a bredouillé une histoire à propos de Desrosiers. Elle m'énerve…

Quelle piste ? avait eu envie de crier Berthier.

Il était sorti derrière elle en veston et avait couru vers sa voiture. Il claquait des dents, mais il ne pouvait pas laisser Graham filer ainsi. Il devait apprendre ce qu'elle savait. Elle venait de démarrer et il avait repéré immédiatement sa voiture à quelques mètres devant lui. Il l'avait suivie. Qu'allait-elle faire à L'Ancienne-Lorette ? Qui surveillait-elle dans cette rue de banlieue ? Malgré le chauffage, Berthier frissonnait ; il ne se débarrasserait donc jamais de cette maudite grippe ? Il serait guéri depuis longtemps s'il avait pu partir dans les Keys. Il se serait allongé sur le pont de son bateau et se serait fait dorer au soleil jusqu'à ce qu'il se sente mieux. Il aurait ensuite navigué d'un quai à l'autre, partant vers le large, revenant au gré de son humeur. Poussant jusqu'à Cuba. Cuba… Pourquoi pas ? Il irait bientôt. Entre deux rêves de mer turquoise et de plages dorées, il regardait sa montre et commençait à s'impatienter quand Maud Graham fit démarrer sa voiture.

Où allait-elle ? Un homme en jeans, portant une veste de cuir, avait franchi la porte d'un immeuble quelques secondes plus tôt. L'avait-elle pris en filature ? Graham roulait très lentement. Pourquoi ?

Elle se gara devant une pharmacie où l'homme venait d'entrer, mais il ressortit sans qu'elle réagisse. Après que deux autres hommes et trois femmes eurent quitté l'établissement, Graham avait démarré pour revenir rue Notre-Dame. Suivait-elle la Tercel grise ? Elle avait ralenti à sa hauteur avant de repartir vers Sainte-Foy, puis le quartier Montcalm. Qu'est-ce que tout cela signifiait ?

Berthier suivit Maud Graham sans pouvoir deviner son manège. Se méfiait-elle de lui ? Avait-elle senti qu'on l'observait ?

Pas exactement. Elle cherchait à se garer rue Cartier, quand elle reconnut dans son rétroviseur la voiture de son collègue qui ralentissait au coin de Fraser. Elle s'étonna de la présence de Berthier dans ce secteur. Qu'y faisait-il ? Il devait maugréer comme elle en espérant vainement qu'une place se libère. Graham décida de rentrer chez elle et de commander des mets chinois. Elle klaxonna en signe de reconnaissance à l'adresse de Berthier. Ce dernier agita la main, malgré sa surprise, et attendit que Graham ait gagné le boulevard René-Lévesque pour redémarrer à son tour.

Tandis qu'il retournait à la centrale du parc Victoria en songeant au mensonge qu'il raconterait à Graham pour expliquer sa présence rue Cartier, cette dernière s'interrogeait. Berthier avait-il beaucoup recours aux services des traiteurs depuis que sa femme l'avait quitté ? Non, probablement pas, il savait cuisiner ; il partait en mer plusieurs jours d'affilée. Il allait peut-être à l'animalerie ; elle croyait se souvenir que Berthier avait un chien. Restait-il toute la journée seul à la maison ? Elle se réjouissait pour Léo de la présence de Maxime ; le chat lui faisait une fête quand il rentrait de chez Léa ou de chez Danielle et passait dorénavant les soirées télé sur ses cuisses. En entrant chez elle, elle ne fut guère étonnée de voir Maxime et Léo blottis sur le canapé. Si l'enfant lui cria bonjour, il refusa de bouger de peur de déranger le vieux matou.

— J'ai un coup de téléphone à donner et je reviens, fit Graham avant de s'éloigner vers sa chambre.

Rouaix avait déjà du nouveau ; il avait réussi à aborder Denise Poissant.

— Je suis sorti et, quand je l'ai vue revenir de la pharmacie, j'ai jeté mes clés sur le sol, en face de mon immeuble, et fait semblant de les chercher. Je l'ai hélée en lui demandant si elle avait une bonne vue, en lui expliquant mon petit problème. Elle m'a dévisagé d'un air glacial, mais, après avoir dit deux ou trois banalités, j'ai inventé une histoire d'opération pour les yeux. J'ai parlé des médecins, qui étaient tous des imbéciles, de mes inquiétudes. Puis je me suis excusé de l'avoir dérangée. J'ai dit qu'il faisait froid et que, si j'étais mieux installé, je l'inviterais à boire un café dans mon nouveau studio. On s'est séparés en bons termes. Je l'intrigue. Je te jure que je réussirai à entrer bientôt. J'ai hâte de lui parler de la pilule miracle.

Maud Graham croisa les doigts. Il fallait que Denise morde à l'hameçon quand Rouaix l'entretiendrait d'un nouveau médicament.

— Ce ne sera pas facile, Maud, avait déclaré Nicole. Elle se méfie maintenant de tout le monde. Je crois qu'elle flairait un os avant même que l'assistante sociale l'informe de la plainte déposée à la DPJ. Elle prétendait partir parce que Kevin allait mieux et qu'on avait besoin de lits… On n'aurait pas pu soutenir le contraire. Avec la grippe qui commence si tôt à faire des ravages, on ne compte plus les pneumonies. Le Dr Mathieu a très peur qu'elle nous file entre les pattes.

— Pour aller où ? On ne déménage pas si simplement. Elle est bien installée, d'après ce que j'ai vu. Mais il est vrai qu'elle est locataire.

— Elle a déjà quitté Montréal pour s'installer ici. Pour quelle raison ? En aurais-tu parlé avec son mari ?

— Ils venaient de se séparer. Ils s'étaient rencontrés à Québec alors qu'il travaillait à Valcartier. Puis il a eu une mission de six mois à l'étranger. Il est revenu, elle est tombée enceinte, ils se sont mariés, ils ont déménagé à Longue-Pointe. Il croit qu'elle est revenue à Québec parce qu'elle aime mieux cette ville.

— Le Dr Duchesne a travaillé à Sainte-Justine. Une de ses collègues va donner à la DPJ des informations sur les visites de Denise Poissant là-bas. Le Dr Mathieu est persuadé qu'elle a commencé ses petits jeux depuis un bon bout de temps.

— Kevin ira chez son père?

— Dès qu'on aura prouvé que l'instabilité mentale de sa mère le met en danger.

— C'est vraiment triste…

— Oui. Quand il s'agit de maltraitance par négligence, on peut éduquer les parents. Ils se présentent à l'hôpital avec un enfant malade ou blessé et prétendent qu'ils ignorent pourquoi il est dans cet état. Ils nous mentent en partie, on le sait bien. Mais on sait aussi qu'ils sont venus chercher de l'aide, qu'ils sont dépassés par les événements. Avec un suivi, des visites régulières d'assistantes sociales, on peut arriver à modifier la situation. Mais dans des cas comme celui-ci…

— Elle agit avec préméditation, c'est ce que je dirai en cour.

— Oui, c'est l'essence de sa psychose que d'imaginer tous les traitements qu'elle pourrait infliger à Kevin.

— Avec la preuve de cette préméditation, elle sera déclarée inapte.

Nicole Rouaix avait soupiré; elle aurait voulu que Denise Poissant accepte de voir un psychiatre. Le Dr Mathieu avait tenté de l'y emmener avant qu'intervienne l'assistante sociale de la DPJ. Il lui avait suggéré de rencontrer un thérapeute pour être réconfortée, il avait dit que c'était très difficile d'avoir un enfant malade. Denise Poissant avait refusé tout net : pas question de s'apitoyer sur son sort !

— Elle a même ajouté que c'était une chance, dans les circonstances, qu'elle ait des notions médicales et puisse mieux aider son fils.

Graham s'était emportée devant tant de perversité. Rouaix et elle piégeraient Denise Poissant !

— Je sais qu'elle est malade, avait murmuré Nicole. Je me répète sans cesse qu'il est probable que sa propre mère ait eu aussi un comportement déviant avec elle, mais je suis furieuse contre elle. Elle nous a menés en bateau ! On aurait tout aussi bien pu opérer Kevin, procéder à l'ablation de l'appendice à cause de fausses informations. C'est tordu ! On est là pour soigner et elle nous détourne de ce but, nous oblige à faire précisément le contraire de ce qu'on veut. Le Dr Mathieu a discuté avec un collègue de Lévis. Elle les a bien possédés aussi. Elle a inventé des histoires partout où elle est allée. L'Hôtel-Dieu de Québec, Saint-François… Elle se promène d'un endroit à l'autre en perfectionnant sa technique et ses mensonges.

Comme les tueurs en série de type organisé, avait songé Graham. Elle se trompait peut-être, mais elle établissait des liens entre ces monstres et Denise Poissant. Les points de comparaison étaient nombreux. Alors que Denise rêvait d'être médecin, plusieurs tueurs étaient fascinés par le milieu policier, et nombre d'entre eux avaient tenté d'en faire partie. Quand ils échouaient, ils trouvaient souvent du travail dans des entreprises de surveillance où ils avaient l'impression de détenir un certain pouvoir. Et un uniforme qui le prouvait. Ils fréquentaient des établissements où se regroupaient des policiers, restaurants, bars ou cafés, et parvenaient parfois à devenir les copains de ceux qu'ils enviaient, ou méprisaient. Ainsi, Ed Kemper allait souper chez un capitaine qui participait à l'enquête sur un des meurtres qu'il avait commis et s'amusait à le berner si aisément. Et Ted Bundy avait pour amie une chroniqueuse judiciaire qui suivait le parcours d'un meurtrier, sans savoir qu'elle buvait un café avec lui. Beaucoup lisaient les journaux jaunes ou des revues spécialisées sur les armes à feu, la chasse, ou cherchaient à en apprendre davantage sur les technologies modernes qui pouvaient leur être utiles. Internet faisait leur bonheur ; Graham savait trop quelles facilités s'offraient ainsi aux pédophiles. Comme Denise, les psychopathes criminels réussissaient à vivre en société, à avoir des relations avec les gens. Certains se mariaient, et les voisins étaient les premiers surpris en découvrant qu'ils avaient connu un Barbe-Bleue, un vampire. Denise Poissant ne semblait-elle pas être une mère entièrement dévouée à son pauvre petit malade ? Elle traitait aussi, à l'instar des tueurs en série organisés, son fils comme un objet qui lui permettait de réaliser ses fantasmes.

Des fantasmes de pouvoir, de contrôle absolu, de droit de vie et de mort. Des fantasmes qui avaient leurs racines dans l'enfance : les tueurs exerçaient très jeunes leurs talents. Ils maltraitaient, tuaient les animaux, volaient, allumaient des feux, s'en prenaient aux enfants de leur âge. On ne devient pas tueur d'un seul coup ; l'histoire des assassins s'était lentement fabriquée, succession d'échelons menant au crime suprême, le meurtre.

Graham était persuadée que Denise Poissant avait elle-même un passé médical complexe, avec des épisodes significatifs qu'elle répétait aujourd'hui. Graham croyait que Denise, comme les tueurs en série, inscrivait ses actions dans le défi, dans l'orgueil ; elle n'admettrait jamais ses torts. Nicole avait bien dit que les mères, quand elles étaient formellement accusées, niaient les faits. Certaines tentaient d'échapper à cette évidence en se suicidant. Denise ne pourrait pas s'empêcher de recommencer à maltraiter Kevin. C'était trop naturel, trop nécessaire pour elle, trop intimement lié à sa réalité.

— La fréquence de ses visites au CHUL s'est accélérée ces dernières semaines, avait commenté Graham. Si on se fie à tout ce que vous savez de son année médicale, elle était plus calme cet été. Elle allait certes d'hôpital en hôpital, mais quelques semaines s'écoulaient entre chaque séjour en milieu hospitalier. Elle est dans un processus ascendant ; elle va donner les nouvelles pilules à Kevin dès qu'elle le récupérera. Mais on sera là… On va titiller la curiosité et l'orgueil de Denise Poissant pour l'amener à commettre une faute.

— André réussira à lui soutirer des informations, avait repris Nicole Rouaix. Il sait très bien écouter.

— Oui, elle ne connaît pas Rouaix. Elle ne sait pas que son charmant voisin, ce pauvre éclopé de M. Royer, n'est pas comptable. Il est tellement content de jouer les agents doubles.

— Oui, ça lui change les idées.

— Ça va lui rappeler sa jeunesse, avait dit Graham.

— Il était bon, paraît-il, quand il travaillait dans la rue.

Nicole avait ri, confié à Maud qu'elle était déjà passée devant lui, au carré d'Youville, sans le reconnaître.

— Il était ravi, il m'a taquinée durant des jours ! Il va mentir aussi bien que Denise Poissant...

* * *

Le rai de soleil qui coulait sur le plancher de bois verni ne révélait aucune poussière. L'hôtesse venait tout juste de passer l'aspirateur dans le salon. André Rouaix aurait pu promener son doigt sur le bord des fenêtres, sur la table ou le secrétaire du salon sans se salir. Denise Poissant tenait à ce que sa maison soit impeccable. Rouaix la complimenta sur cette propreté remarquable.

— Vous êtes d'autant plus admirable qu'il y a un enfant ici, je crois.

Rouaix désignait un chat en peluche sur le canapé du salon.

— Oui, j'ai un fils. Il est assez calme. Avez-vous des enfants ?

— Un grand fils. On se voit peu depuis que j'ai divorcé. Ma femme m'accuse de tout, elle prétend qu'elle s'ennuyait avec moi. Tout ça parce que je ne voulais pas aller danser chaque soir ! Elle n'était pas capable de comprendre que, avec mes problèmes de dos et mon opération aux yeux, je ne pouvais pas me trémousser comme un gamin. Elle se plaignait de ma maladie. C'est pourtant moi qui souffrais !

Denise Poissant s'exclama. Elle avait vécu cette injustice avec Bernard ; il lui reprochait de consommer trop de médicaments.

— Ensuite, c'est à Kevin qu'il en a voulu. Parce qu'il est souvent malade.

— Vous êtes bien courageuse d'endurer tout ça, fit Rouaix. Nous n'avons pas eu de chance, à ce que je vois... J'ai même eu des ennuis avec des médecins qui refusaient de me signer un congé de maladie. Qui prétendaient que j'inventais mes maux de dos ! Heureusement que j'ai un bon médecin maintenant.

— Vraiment? Où vous soigne-t-on?

André Rouaix fit mine d'hésiter, puis répondit qu'il consultait un spécialiste dans une clinique privée.

— J'ai vu tous les médecins qui travaillent dans les hôpitaux, mais ils ne sont pas capables de me dire ce que j'ai! C'est pour ça qu'ils soutiennent que j'imagine tout. Avec l'accident, ça aurait été encore pire si je n'avais pas connu le Dr Legault. Il est très particulier.

— Particulier?

— Je vous en parlerai un jour, répondit Rouaix. Votre thé est délicieux.

— Oui... Je l'avais acheté chez Songes d'une nuit de thé, un soir où je revenais du CHUL avec Kevin.

— Vous y êtes allée récemment?

— Cette semaine. Pas à la boutique, à l'hôpital. Encore...

André Rouaix regarda Denise Poissant, feignit une stupéfaction embarrassée. Il se leva, repoussant sa tasse de thé, s'excusant d'avoir frappé à sa porte pour lui emprunter du sucre.

— Je ne vous aurais pas dérangée si j'avais su que votre fils était malade. Vous devez être très inquiète et je vous ennuie avec mes petits malheurs. Mais avec mon plâtre, je n'avais pas le courage de prendre ma voiture pour me rendre au dépanneur. J'ai frappé à la porte de mes voisins sans succès. Je suis désolé!

Denise le retint; il ne la gênait pas du tout. Elle avait si peu de visiteurs.

— Les gens n'aiment pas qu'on discute de maladie, dit Rouaix en se rassoyant, je sais ce que c'est. Pourtant, c'est en parlant qu'on trouve des solutions. Quand je vais dans une clinique, j'échange toujours avec les autres patients. Certains peuvent avoir eu les mêmes problèmes que moi. Je profite de leur expérience et eux de la mienne. Il faut se tenir au courant des progrès médicaux, des nouveaux traitements, n'est-ce pas?

Denise acquiesça, confia à Rouaix qu'elle lisait beaucoup d'ouvrages spécialisés et qu'elle était abonnée à *L'Actualité médicale*.

— J'avais commencé mon cours d'infirmière, mais ma mère est tombée malade et j'ai dû arrêter mes études pour prendre soin d'elle.

— C'était grave ?

— Cancer du foie, affirma Denise Poissant.

— Je suis désolé.

Denise précisa que sa mère avait souffert du diabète toute sa vie et que son fils aurait les mêmes problèmes. C'est ce que lui avaient laissé entendre les médecins qu'elle avait vus récemment.

André Rouaix s'inventa aussitôt une cousine diabétique à laquelle il était particulièrement lié.

— Elle a fait un coma et ne s'est jamais réveillée. Vous devez être inquiète pour votre fils…

Denise Poissant reversa du thé dans la tasse de l'enquêteur tout en lui expliquant qu'elle maîtrisait bien la situation. Elle avait suffisamment de connaissances médicales pour reconnaître les symptômes annonçant un coma diabétique.

André Rouaix buvait son thé sans quitter Denise Poissant des yeux. Il était fasciné par cette femme qui le trompait avec tant d'assurance. Bien des prévenus lui avaient menti depuis qu'il exerçait son métier, mais peu d'entre eux fournissaient autant de détails, avec autant de conviction. Denise se complaisait dans le récit de ses aventures médicales, et André Rouaix remarquait qu'elle ne semblait éprouver aucune angoisse quand elle décrivait les problèmes de Kevin.

Rouaix devait se forcer à rester calme et à écouter Denise Poissant. Il éprouvait une telle envie de lui faire avouer ses crimes, là, tout de suite !

— Monsieur Royer ?

— Excusez-moi, j'étais distrait. Je reprendrais bien un peu de thé.

Il tendit sa tasse à Denise Poissant avant d'ajouter qu'il ferait mieux de se remettre au travail.

— Je suis comptable. Et vous ?

— Physiothérapeute. À temps partiel. Avec un enfant malade, je dois refuser des emplois trop exigeants.

— Physio ? s'exclama Rouaix. C'est formidable. Vous pourrez me conseiller quand j'en serai à la rééducation.

Il tapota son plâtre avant de prier Denise de lui indiquer la salle de bains. Elle l'aida à se lever et sa poigne énergique le surprit. Son allure longiligne ne laissait pas présager une telle force. Elle l'aurait accompagné jusqu'aux toilettes, mais il protesta. Il devait s'habituer à se débrouiller tout seul. Dès qu'il eut refermé la porte de la salle de bains, il urina, puis ouvrit le robinet du lavabo afin que Denise ne l'entende pas fouiller dans la pharmacie.

Il n'avait jamais vu autant de produits dans une armoire ; tous bien classés, les flacons avoisinaient les tubes, les crèmes. Et les aiguilles. Les seringues devaient être cachées ailleurs, mais Rouaix n'avait pas le temps de les chercher. Il devait retrouver le contenant de plastique sur lequel Nicole avait collé une étiquette verte et celui que Denise était allée chercher à la pharmacie, compter le nombre de comprimés.

Il repéra les deux flacons, versa le contenu dans sa main. Il y avait dix comprimés dans chacun. Il pourrait affirmer que leur contenu était intact le jeudi. Mais qu'en serait-il la prochaine fois ?

André Rouaix faillit se heurter à Denise Poissant en sortant de la salle de bains. L'avait-elle surveillé ? Il espéra que le bruit de l'eau qui coule ait vraiment dissimulé le grincement de la porte de la pharmacie.

Ils revinrent dans la salle à manger. Rouaix souleva sa tasse de thé, parut surpris en entendant le carillon d'une horloge.

— Déjà midi ? Je me conduis comme si j'étais en vacances. C'est votre faute, votre thé est trop bon.

Alors qu'il se dirigeait vers la porte, Rouaix s'arrêta.

— Je vais parler du diabète de Kevin à mon médecin. Il est très différent des autres. Il aura peut-être une solution. Il a étudié en Russie. C'est un secret bien gardé, mais les Russes sont très forts en endocrinologie. Ils ont fait des découvertes passionnantes ces dernières années.

— Des découvertes ?

— Pas officielles… Si vous saviez ce que le Dr Legault m'a raconté. Je sers de cobaye, mais je m'en porte très bien.

— De cobaye ?

— Ce serait trop long à vous expliquer. La médecine traditionnelle est frileuse. Et si peu curieuse, vous le savez aussi bien que moi… Le Dr Legault est un visionnaire. Allez, je me sauve !

En évitant les plaques de glace dans la rue, Rouaix pariait qu'il aurait très vite des nouvelles de Denise Poissant. Son mystérieux Dr Legault ne pouvait la laisser indifférente. N'avait-elle pas son propre cobaye à demeure ?

Le froid intense surprenait Rouaix. Il lui semblait que la température avait chuté de plusieurs degrés. En ouvrant la porte de son immeuble, il comprit que ses frissons résultaient de sa visite à Denise Poissant. Il était transi de dégoût.

Chapitre 12

La nuit effaçait le soleil et l'île d'Orléans, au crépuscule, semblait se blottir dans un édredon de flanelle mauve. Depuis combien de temps Jacques Berthier était-il passé sous le pont avec *Le Condor*? Une éternité... Il se souvenait de la première fois, un matin où les oies emplissaient le ciel d'une rumeur joyeuse et déterminée. Elles se dirigeaient, enthousiastes, vers le cap Tourmente. Il allait pousser bien plus loin, remonter jusqu'à l'île aux Coudres et continuer, continuer. Il n'avait jamais ressenti une émotion aussi vive, un tel vertige de liberté et de plénitude. Il aurait pu suivre les oies n'importe où, *Le Condor* les aurait rattrapées, dépassées. *Le Condor* pouvait l'entraîner au bout du monde, jusqu'en Chine, jusqu'à la planète Mars s'il le désirait. Ses mains caressaient le gouvernail avec tendresse, jouissaient de la douceur du bois contre ses paumes. Il écoutait le vent dans les voiles, son langage fait de sifflements, de petits et de grands claquements, de ronflements et de soupirs, et il s'émerveillait de ces signes subtils et précis.

Il était rentré ce jour-là avec un terrible coup de soleil et sa femme lui avait demandé pourquoi il n'avait pas mis la crème protectrice qu'elle lui avait recommandée. Il l'avait dévisagée, interdit. Comment pouvait-il penser à se tartiner le visage alors qu'il vivait un tel bouleversement? Au moment où il était monté à bord du *Condor*, il avait su que son existence ne serait plus jamais la même.

Il ne pouvait pas imaginer, à l'époque, à quel point son intuition était juste. Il savait que les paiements seraient importants et il avait hypothéqué la maison sans en parler à sa femme. Cependant, elle l'avait appris, elle avait appris qu'il n'avait pas loué un bateau pour ses deux semaines de vacances, mais qu'il l'avait acheté. Elle avait crié. Lui aussi. Il avait tenté de se réconcilier avec elle, mais elle avait refusé de lui pardonner, répété qu'il n'était qu'un égoïste : avait-il pensé à leurs enfants ? Il avait proposé de partir en famille sur son voilier pour les vacances ; elle lui avait ri au nez.

Ils avaient divorcé. Les paiements étaient très lourds maintenant qu'il devait verser une pension alimentaire même si les jumeaux avaient quitté la maison pour aller étudier à Montréal.

Mais que serait-il devenu s'il avait dû vendre *Le Condor* ? Autant se jeter dans le fleuve et se laisser couler.

C'est alors qu'il avait rencontré Jocelyn Boulet. Dans le port, au moment où il se préparait à monter à bord de son voilier.

— C'est donc vrai ? avait dit Boulet. Tu as acheté ce bateau ?

Berthier avait reconnu Boulet, un avocat qui venait de s'installer à Québec et qu'il voyait parfois au palais de justice.

— Tu l'as depuis longtemps ? continuait Boulet. Il est superbe !

Berthier l'avait invité à le visiter. Et pourquoi pas une petite virée sur le fleuve ? Il faisait si beau. Boulet avait accepté avec enthousiasme. Il s'était exclamé devant la propreté du *Condor*.

— Je l'entretiens mieux que ma voiture, avait admis Berthier.

— La voiture t'est utile pour ton travail, tandis que ton bateau te permet de profiter de la vie. Je comprends que tu fasses attention à un bijou pareil.

Plus tard, en revenant au port, Boulet avait promis à Berthier d'essayer de trouver une faille dans l'entente signée pour la pension alimentaire.

— Je vais parler avec l'avocat de ta femme pour qu'il entende raison. Elle est bien trop gourmande.

Boulet n'avait jamais adressé la parole à l'avocat de Carole, mais il avait proposé un marché à Jacques Berthier. Qui avait d'abord refusé. Puis accepté. Et l'arme qu'avait utilisée Lapierre pour tuer un concurrent avait disparu. Lapierre avait été acquitté. Et le juge Plante, par l'entremise de Me Boulet, avait remercié généreusement Berthier. Les services s'étaient multipliés, les récompenses également ; il avait pu garder son bateau. Le juge était même venu le rencontrer sur *Le Condor*.

Ensuite, il y avait eu le meurtre d'Albert Girard, l'avocat de Marcotte. Girard soupçonnait l'implication du juge Plante dans la livraison qui avait été effectuée chez lui en son absence et il s'apprêtait à faire des révélations à ses pairs. Wilson l'avait tué. On devait enfin avoir la paix.

Pourquoi avait-il fallu que Desrosiers le voie, lui, Jacques Berthier avec Joss Wilson ?

Et qu'il se pointe au poste de police quelque temps plus tard, comme par hasard, pour parler à Graham ? Leurs regards ne s'étaient croisés qu'une seconde, mais Berthier avait lu une interrogation dans l'œil de Desrosiers. Il avait su qu'il se demanderait où il l'avait vu, s'en souviendrait et le mentionnerait à Maud Graham.

— C'est très ennuyeux, avait dit le juge Plante à Jocelyn Boulet et Jacques Berthier. Faites ce qu'il faut.

Boulet, qui avait repris la défense de Marcotte depuis que Girard avait été assassiné, avait fait part de son problème au trafiquant. Ce dernier privilégiait le cloisonnement. Il avait fait descendre Desrosiers par un tueur, sous prétexte que celui-ci avait la langue trop longue et qu'il était puni pour avoir vendu Luc Lapierre. Sans l'irruption de Maxime, Desrosiers serait en train de pourrir six pieds sous terre.

Maud Graham se plaignait, depuis que Desrosiers était à l'Hôtel-Dieu, de son manque de collaboration, mais Berthier n'était pas rassuré ; il connaissait l'entêtement de Graham. Elle s'obstinerait à chercher qui avait tiré sur Desrosiers et son fils. Et trouverait.

Desrosiers était terrorisé, craignait pour la vie de Maxime certes, mais Graham était habile et devait magouiller quelque ruse avec Rouaix. Elle n'était pas allée le visiter tous les jours à l'hôpital pour rien ! Que savaient-ils ?

Berthier avait failli s'étouffer quand il avait entendu Graham téléphoner à Rouaix et lui déclarer qu'elle avait décidé de faire témoigner Maxime, même si elle savait qu'on pouvait douter de la parole d'un enfant.

— C'est notre seul témoin oculaire, avait fait Graham. On ne peut pas s'en priver.

Quand elle avait raccroché, Berthier s'était penché promptement et avait fait semblant de ramasser un crayon au sol, mais Graham avait sûrement compris qu'il avait écouté sa conversation.

Il avait essayé de se raisonner. Si Maud Graham le soupçonnait de quoi que ce soit, elle n'aurait pas discuté aussi librement en le sachant tout près d'elle. Comment pouvait-elle avoir des doutes à son sujet ? Desrosiers lui aurait-il parlé ? Non, bien sûr que non, elle aurait pris des mesures, si ça avait été le cas. On l'aurait déjà interrogé. À moins qu'elle lui joue la comédie ? Elle avait pourtant affirmé à Trottier, avant le dîner, que Desrosiers s'entêtait plus que jamais dans son mutisme.

— J'ai eu des témoins coriaces, avait-elle gémi, mais Desrosiers est exaspérant. J'ai beau lui répéter que c'est pour son bien…

D'où lui était venue cette idée, quelques heures plus tard, de faire témoigner le gamin ?

Et pourquoi ? Les portraits-robots qu'on avait établis d'après le témoignage de Maxime Desrosiers n'avaient rien donné. Berthier les avait vus et s'était réjoui de constater que l'agression s'était déroulée trop vite ou avait été trop angoissante ; Maxime n'avait pas mentionné de détails précis. Alors que signifiait cette volte-face ?

Berthier était allé chercher un café, s'était efforcé de le boire lentement. Il devait se calmer afin d'envisager une solution. Il aurait aimé joindre immédiatement Jocelyn Boulet, mais il ne l'appelait jamais du poste de police. Il téléphonerait d'une cabine publique plus tard ; il n'osait quitter son bureau tant que Graham restait rivée au sien. Elle était complètement absorbée par la lecture d'un dossier et Berthier aurait pu parier qu'il s'agissait de celui de Desrosiers. Il offrit un café à Graham qui refusa.

— J'ai mal à la tête. Le café ne m'aidera pas.

— Veux-tu des Tylenol ?

— Tu dois en avoir pris beaucoup à cause de ta grippe…

— Ne bouge pas, je reviens.

Il lui tendait le flacon blanc et rouge avec un verre d'eau.

— Tu es trop gentil, Berthier, avait dit Graham avant d'agiter le flacon. Il ne te reste qu'un comprimé.

— J'en rachèterai. Je devrais m'en procurer par caisse !

— Je suis chanceuse de ne pas avoir attrapé la grippe. Tu as été vraiment malade ! Il me semble que tu as encore maigri.

Elle faisait des efforts pour être aimable avec lui, mais Berthier sentait son malaise. Il avait haussé les épaules. Peut-être, oui, qu'il avait perdu un peu de poids. Ça ne pouvait pas lui nuire, hein ?

— Est-ce que tu te sens mieux ? avait-elle demandé avec sollicitude.

Elle avait étrangement ajouté qu'il y avait des gens vraiment malades qui ne se soignaient pas assez, alors que des gens en santé se rendaient malades pour aller à l'hôpital.

— Qu'est-ce que tu racontes ?

Graham avait balayé l'air d'un geste large de la main.

— Je dis n'importe quoi. J'espère seulement que tu te soignes bien.

Pourquoi s'intéressait-elle tant à sa santé ?

Il repensait à cette sollicitude en admirant le pont de l'île dans le crépuscule ; il l'aurait appréciée s'il avait pu la croire sincère. Mais il devait se méfier de Graham. Comme de tous les autres. C'était épuisant d'avoir à surveiller ses paroles, de prêter une attention constante à celles de son entourage, de prendre des précautions pour téléphoner, pour s'assurer qu'on ne le suivait pas.

Il avait tellement hâte d'échapper à tout ça, de balayer cette existence. Il avait tout calculé : on pouvait très bien vivre à Cuba ou en République dominicaine pour presque rien. Il avait déjà le gîte, il pourrait pêcher ; il dépenserait peu. Il n'avait pas de gros besoins. Qu'on l'oublie sur son bateau et il serait heureux. Sans téléphone pour au moins six mois ! Il continue-rait à échanger avec d'autres navigateurs par courrier électro-nique et par radio, mais ils ne parleraient que de leur passion pour la mer. Il oublierait tout le reste...

Berthier se répétait sans parvenir à s'en convaincre que Des-rosiers aurait fini par se faire descendre, car il était trop idiot pour survivre dans le milieu. Il avait pourtant été soulagé, l'es-pace de quelques secondes, quand il avait appris qu'il avait sur-vécu à l'attentat. Puis il s'était dit que tout était à recommencer. Ça ne gênerait pas vraiment Marcotte qui trouvait aisément des hommes de main, mais Berthier savait qu'il devrait prendre en-core plus de comprimés pour dormir. Personne ne lui avait dit que Desrosiers avait un gamin. Il n'avait jamais voulu qu'on tire sur Maxime ! Il détestait entendre Graham louer l'intelli-gence de cet enfant, sa bonne humeur, sa gentillesse. Il n'avait pu prévoir que les choses tourneraient ainsi quand il avait ac-cepté la première proposition de Jocelyn Boulet.

Il fallait qu'il parte au plus vite et qu'il perde la mémoire dans sa fuite.

Il se versa un verre de scotch et en but la moitié avant de res-sortir de chez lui pour aller téléphoner à Me Boulet. Celui-ci s'emporterait et sa colère lassait déjà Berthier : que pouvait-il y faire si Graham voulait faire témoigner Maxime ? On ne pouvait tout de même pas tuer l'enfant ! Ni Graham. Il y avait des limites au vraisemblable ! Boulet avança pourtant cette hypothèse.

— Tu es fou ! Imagine l'enquête si Graham disparaît ! Ce se-rait un vrai bordel ! Le festival des ennuis !

— Elle fouille partout. Je sais qu'elle a vu Me Lemieux. Que lui voulait-elle ?

Parler du meurtre de Girard, supposait Berthier. Nul n'igno-rait les liens qui avaient uni les deux avocats ; Lemieux avait été le mentor de Girard et désirait autant que Graham que le cou-pable soit arrêté. Et puni.

— Que veux-tu qu'on fasse ? On ne peut pas faire disparaître l'enfant.

— Tu es trop peureux et on a un maudit problème. Il me semblait que cet enfant-là ne savait rien ? Que les portraits-robots étaient inutiles ?

— C'est ce que Graham a toujours soutenu.

— Il faut que Desrosiers calme son petit gars. Renvoie-lui ton faux curé.

— C'est trop dangereux. Graham va se douter de quelque chose. Elle est acharnée ! Elle va voir Desrosiers tous les jours. Jamais à la même heure ! On ne peut rien prévoir.

— Mais je peux t'annoncer que le juge Plante va avoir envie de te tuer, toi, si tu ne trouves pas une solution avant que le petit témoigne.

— Ce n'est quand même pas pour demain matin. Desrosiers est encore à l'hôpital !

— Arrange-toi pour qu'il y reste. Ou qu'il meure.

— Combien de fois vais-je devoir te répéter que Graham est loin d'être une imbécile ? On aurait pu achever Desrosiers la première semaine. On aurait cru à une rechute, mais là...

— Débrouille-toi ! On te paie assez cher.

— Pour fermer les yeux, pas pour les fermer à quelqu'un d'autre ! Il n'a jamais été question que...

Boulet l'interrompit brutalement :

— Tabarnak ! Qui s'est mis dans le trouble en voyant Wilson ? Ce n'est pas moi !

— Je l'ai fait pour le juge ! protesta Berthier.

— Il aurait choisi quelqu'un d'autre s'il avait su comment tu te débrouillerais.

Il y eut un silence, puis l'avocat reprit la parole, s'efforçant de parler plus calmement.

— On s'énerve, Berthier, et on se lance des affaires qu'on va regretter. Ça ne nous avancera pas de paniquer. Comme tu l'as dit, on a encore le temps de trouver une solution. Le petit n'ira pas en cour tout de suite. Je vais expliquer ça au juge, ce soir. Je te rappelle demain.

Berthier fonça vers un dépanneur après avoir raccroché et acheta un paquet d'Export 'A'. Il réarrêterait de fumer quand il voguerait vers les îles. Quand il serait moins tendu.

Il fuma sept cigarettes dans la soirée en «chattant» avec un Bostonien qui était allé régulièrement en République dominicaine et en Jamaïque. D'autres voyageurs se joignirent à eux, et quand Berthier s'arracha enfin à l'écran, il fut tout surpris d'avoir réussi à oublier ses ennuis durant plusieurs heures.

Bientôt, c'est lui qui fournirait des conseils et raconterait des anecdotes à des internautes curieux de s'installer sur une île.

* * *

Un craquement dans la cheminée fit sursauter Graham, mais son chat Léo demeura imperturbable.

— Tu es plus nerveuse que lui, constata Alain Gagnon.

— J'ai plus de raisons que Léo. Il n'a qu'à manger et à dormir.

Elle leva son verre vide. Elle aurait volontiers bu un deuxième café irlandais, mais le nuage de crème Chantilly convenait peu à une femme prétendument au régime.

— C'était délicieux, fit-elle en se léchant les lèvres.

— Je t'en fais quand tu veux.

— J'y prends goût…

Elle se blottit contre lui, chuchota qu'il devrait emménager avec elle.

Elle le sentit se raidir, puis se détacher d'elle, la forcer à le regarder droit dans les yeux.

— Tu es sérieuse?

— Tu sais bien que je ne suis pas le genre de fille à faire une telle proposition sans avoir réfléchi… une bonne centaine d'heures. Ou mille et une nuits.

L'émotion d'Alain troubla Maud Graham. N'avait-il pas senti qu'il gagnait chaque jour du terrain, qu'elle avait abandonné toutes ses réserves quand ils étaient allés à Montréal?

Quand il avait acheté un cadeau pour Grégoire ? Quand il avait apporté son ordinateur chez elle afin que Maxime puisse s'amuser avec ? Quand il avait changé la litière de Léo ?

— J'ai beaucoup de trucs. Des livres. Mes disques de jazz...

— Je sais. On peut mettre une partie des meubles dans ma cave, je vendrai le reste. Tu te plains toujours de mon lit trop mou.

Il la dévisagea avec amusement ; elle avait déjà tout réglé.

— Tu sais donc où on va ranger mon vaisselier ?

— À la place de la bibliothèque qui va aller au deuxième.

Il l'attira vers lui, la serra à l'étouffer avant de lui demander ce qui l'avait enfin décidée à se laisser aimer.

— C'est à cause de la morgue.

— La morgue ?

— Tu dois te rendre souvent à Montréal depuis que tout est transféré là-bas. On ne se voit plus beaucoup. S'il faut en plus que tu perdes du temps chez toi pour gérer les petits détails du quotidien... Je m'ennuie, Alain, je m'ennuie de toi quand tu es loin. Je voudrais t'avoir à côté de moi quand je doute.

— Ça va si mal que ça dans ton enquête, ou plutôt tes enquêtes ?

Elle prit son verre et celui d'Alain, y versa le reste de la cafetière, ajouta de la crème et une goutte de whisky pour son amoureux, mais mit du lait dans le sien. Elle revint vers Alain, lui tendit les verres, hésita, monta vers la chambre d'amis, vérifia que Maxime dormait à poings fermés.

— Rouaix a déjà bavardé avec Denise Poissant. Il a même réussi à compter les pilules et il prévoit la revoir demain. De ce côté-là, tout se déroule comme prévu.

— Ton plan était bon.

— Oui. Le problème, c'est Desrosiers. Plus je tourne en rond dans cette enquête et plus j'ai l'impression que c'est ce mouvement qui la résume. Un chien qui se mord la queue. C'est une enquête circulaire, refermée sur elle-même, et Desrosiers me fait une impression trop paradoxale pour que je ne m'y attarde pas.

— Paradoxale ?

— J'essaie de le faire parler, il s'entête à se taire. Mais j'ai l'intuition qu'il ne sait rien tout en me cachant pourtant quelque chose. La première fois, il a dit qu'il ne connaissait pas ses agresseurs et je le crois. On a ensuite parlé de Wilson ; il m'a dit que je m'étais trompée, que celui-ci n'avait pas tiré sur Girard. Il était trop catégorique. J'ai fouillé du côté des deux gars arrêtés chez le juge Plante, mais j'ai fait chou blanc. Ce sont de vrais durs qui ne révéleront rien. J'ai vu Savard, qui a déjà arrêté Wilson il y a quelques années, mais je n'ai rien appris. Sauf que Marcotte et Wilson se connaissaient déjà en ce temps-là.

— Pourquoi est-ce que ça t'agace autant ?

— Je mets le doigt juste à côté. C'est une enquête de proximité.

— De proximité ?

— Même Me Lemieux a laissé entendre que la solution était sous mon nez. Le milieu n'est pas instruit, mais intelligent, très intelligent… Qu'est-ce qui se trame que je ne vois pas ?

— Ce que tu es habituée à voir en permanence ?

— Ou *ceux* que je suis habituée à voir tous les jours.

Maud Graham grimaça comme si son café était trop amer.

— Tu songes à…

— Oui, il y a une pomme pourrie dans le sac. Ça fait déjà un bout de temps que j'y pense. Ça me ferait plaisir que ce soit Moreau… Il enquêtait avec Berthier sur l'affaire Lapierre. L'arme s'est volatilisée et il n'y a qu'une complicité de l'intérieur qui explique ça. Même Berthier le reconnaît ; il dit qu'il avait cherché à l'époque.

Elle se tut avant d'ajouter à mi-voix qu'elle n'avait pas vérifié s'il avait vraiment enquêté sur cette disparition.

— Jacques Berthier est bizarre, ces jours-ci. Il a eu la grippe…

— Tout le monde l'a eue. Où veux-tu en venir ?

— Il a commencé à changer avant d'avoir sa grippe.

Elle rapporta ses observations : l'amaigrissement de Berthier, ses absences fréquentes ou prolongées, son amabilité redoublée envers elle.

— J'ai soupçonné un cancer ou le sida. Comme je m'inquiète pour Grégoire…

— Grégoire t'a laissé entendre que…

— Non, non. Mais son travail est à haut risque. Les cuisiniers se brûlent dans les cuisines, les coureurs automobiles peuvent déraper, les alpinistes tomber. Grégoire dit qu'il se protège, mais quand il est trop soûl ou trop gelé, est-ce qu'il y pense ? Le danger fait partie de son métier.

— Comme les policiers qui peuvent se faire tirer dessus. Ou être, comme Grégoire, en contact avec la drogue. Berthier se poudre peut-être le nez ?

Non, elle savait reconnaître les consommateurs.

— Mais les vendeurs ? s'écria-t-elle. Je pensais qu'il voulait se confier à moi, mais il doit me surveiller.

Elle revit les expressions gênées de Berthier au bureau, sa stupeur quand elle l'avait salué rue Cartier, son intérêt quand elle se plaignait du manque d'indices dans l'enquête sur Desrosiers.

— Il me suit peut-être.

Graham était choquée, abasourdie et soulagée. Si elle flairait des révélations putrides, elle préférait cette prise de conscience à l'ignorance. Comme si on lui avait enfin donné un lampion pour s'éclairer dans un labyrinthe trop sombre ; elle se cognerait à bien des cloisons, mais finirait par atteindre la sortie. Elle tenait son fil d'Ariane.

— C'est mon père qui m'a offert ces verres à café, dit-elle. Je ne pensais jamais que je rencontrerais un homme qui réussisse aussi bien que lui le café irlandais.

Elle caressait le verre gravé de petits trèfles verts et bordé d'or.

— Conservons-les précieusement, dit Alain, je compte les utiliser très longtemps.

Il l'embrassa et l'entraîna dans la chambre, sourit quand elle verrouilla la porte et vérifia que les rideaux étaient bien tirés.

— Tu as peur que Maxime nous surprenne en train de faire l'amour ?

— Il fait parfois des cauchemars.

— Mais il ne vient jamais te retrouver. C'est toi qui cours vers lui.

Alain avait raison, mais Maud n'aurait pu s'abandonner si elle avait craint d'être surprise dans une étreinte. Quand elle se glissa sous les couvertures, elle s'émerveilla qu'Alain ait déjà réchauffé les draps après quelques secondes.

Était-ce sa décision de vivre avec lui ? Le soulagement d'avoir enfin identifié un ennemi ? Les effluves du café irlandais ? Elle était submergée, immergée, plongée dans le plaisir, et sa jouissance était telle qu'elle avait vraiment l'impression d'être en mer, d'être la mer. Et d'être chauffée par un soleil absolu qui luirait en elle bien après l'orgasme.

Elle fut surprise de redécouvrir sa chambre.

Leur chambre.

— Notre chambre, c'est notre chambre maintenant, chuchota-t-elle tandis qu'Alain lui caressait les cheveux.

— Vas-tu les laisser allonger ?

— N'exagère pas : tu viens habiter avec moi, mais pour les cheveux je ne fléchirai pas. Laisse pousser les tiens, si tu aimes tant les cheveux longs.

— Ils ne sont pas roux…

Elle lui avait déjà expliqué qu'elle détestait perdre du temps à se coiffer et que la coupe de cheveux qu'elle avait adoptée convenait à la femme pressée qu'elle était.

— Dors, répondit-elle.

— Non. Je ne peux pas. Je suis trop heureux. Je ne veux pas m'endormir, je dois profiter pleinement de ce moment. Il ne se reproduira jamais.

Il l'entendit retenir son souffle, s'immobiliser contre lui.

— Ja… jamais… bégaya-t-elle. Qu'est-ce que…

— Tu ne me proposeras plus de venir m'installer ici, puisque je ne partirai plus. Tu t'embarrasses de moi pour longtemps, ma belle. Tu as eu peur ?

Elle recommençait à respirer normalement. Il la taquina : comment pouvait-elle imaginer qu'il la quitterait alors qu'elle l'acceptait enfin totalement ?

— Je n'ai pas ton esprit de contradiction, Maud.

— Quoi ?

— Regarde-toi avec Moreau ! Il dit blanc, tu dis noir.

Il avait raison. Elle admit même que son animosité pour Moreau l'avait probablement induite en erreur. Elle n'avait vu que lui au lieu de s'apercevoir du comportement de Berthier.

— Encore blanc ou noir, hein, Maud ? Jamais entre les deux ! Berthier t'inquiète depuis quelques semaines. Il n'a pas perdu du poids sans raison. Tu sais comme c'est difficile de maigrir…

— Il ne s'est pas mis à la diète… Il est rongé de l'intérieur.

Qu'était-il arrivé à Berthier ?

— Je suppose qu'il a fait disparaître l'arme dans l'affaire Lapierre, chuchota Graham. C'est très grave, mais je doute que ce soit le remords qui le fasse maigrir.

— La peur ?

— Il s'est mis à changer après l'examen médical. Je ne l'ai pas remarqué tout de suite, il est assez rond. L'affaire Lapierre, c'était juste après l'examen de routine. Je suis la première à me remettre le nez dans ce dossier depuis qu'il y a eu un non-lieu à la cour. Berthier n'a pas été inquiété. Il doit redouter autre chose.

— Dans quelle combine aurait-il trempé ?

— Je ne sais pas. Mais il n'a pas dû aimer que je m'interroge sur Lapierre. Pour qui Lapierre a-t-il travaillé comme chimiste ? Marcotte. Marcotte, qui est mêlé à plus d'un trafic, est le beau-frère de Wilson. Wilson que je comptais arrêter…

— Il faut que tu dormes. Il y a beaucoup de travail qui t'attend demain…

Elle se leva pour déverrouiller la porte de la chambre, l'entrouvrit et revint se blottir contre son amoureux en souhaitant que Maxime rêve à un match de hockey plutôt qu'à l'agression.

* * *

— Je vais à l'aréna, glissa Martin à sa mère. Vous répétez toujours que le sport, c'est bon pour la santé.

— Qu'est-ce que tu as, Martin ? Tu es fâché contre nous ?

— Pas contre vous.

— Contre quoi, alors ?

— Contre rien.

— Mange avant de partir. J'ai fait de la tourtière.

Il aurait voulu résister, mais l'odeur qui s'échappait de la cuisine était trop prometteuse. Il suivit sa mère et s'attabla après s'être versé un verre de jus de pomme.

Nicole lui servit une part imposante de tourtière et se réjouit de voir Martin l'attaquer avec enthousiasme.

— Tu as toujours aimé ça. Tu es comme ton père.

— Non ! Je ne suis certainement pas comme lui.

Nicole, interloquée par la violence de sa réponse, dévisagea Martin.

— Mais enfin, qu'est-ce qu'André t'a fait ? Il ne pouvait pas te féliciter d'avoir eu un accident parce que tu t'es entêté à prendre le volant ! Tu aurais pu te tuer et tuer quelqu'un d'autre !

— Il pensait à sa réputation au poste de police !

— Tu es injuste, Martin !

Il repoussa son assiette et se leva, renversant sa chaise.

— Et toi, tu es ignorante ! Veux-tu me dire ce qu'il fait maintenant ? Dans l'autre appartement ?

— C'est pour son travail.

— Tu crois ça, toi ?

— À quoi penses-tu ?

— Tu avales tous ses mensonges pendant que lui peut recevoir ses maîtresses tranquillement à l'autre bout de la ville.

André ? Des maîtresses ? L'idée était si incongrue que Nicole sourit malgré elle.

— Ça t'amuse ?

— Martin, où es-tu allé pêcher ça ?

— Je l'ai vu à l'hôpital avec une blonde. Elle était dans ses bras.

Une blonde ? Quelle blonde ? Son mari avait eu tant de visites durant son hospitalisation. Des hommes, des femmes, des amis, des collègues, des voisins. Des bruns, des roux et une blonde ? Une blonde dans les bras d'André ? Martin avait de l'imagination ! Son époux serait renversé quand elle lui rapporterait les propos de leur fils.

— Tu te trompes, mon chéri, dit Nicole à Martin.

— Tu ne veux pas voir la vérité ! Je n'ai pas inventé cette femme avec ses grands cheveux !

Avant qu'elle ait pu rétorquer, il attrapait son sac de sport d'une main, son anorak de l'autre et claquait la porte, abandonnant Nicole éberluée. Elle finit son assiette, débarrassa la table avant de téléphoner à son époux. Elle était soulagée que Martin se soit trompé. Quand on aurait dissipé le mystère de la belle inconnue, Martin s'entendrait de nouveau avec André. Nicole taquina ce dernier en lui parlant d'une blonde incendiaire qui l'aurait fait chavirer.

— Une blonde ? s'esclaffa Rouaix. Moi ? Avec une…

— J'y ai repensé. Ça doit être Josette.

— Josette n'est pas blonde.

André n'avait même pas remarqué qu'elle avait changé la couleur de ses cheveux. Et Martin qui était persuadé de leur liaison…

— Il paraît que tu l'as enlacée.

— Enlacée ? Moi ?

— Martin soutient qu'il l'a vue dans tes bras.

Rouaix réfléchit à la dernière visite de Josette, comprit et expliqua à Nicole la méprise.

— C'est trop con ! Martin croit maintenant que mon studio minable est une garçonnière ! Il a pourtant vu l'appartement.

J'ai assez hâte de rentrer chez nous. C'est une planque déprimante. Et tu me manques. Je venais juste de rentrer à la maison, j'aurais dû y rester…

— Mais non, tu as réussi à parler avec Denise Poissant et à compter les comprimés.

— Et à mentionner l'énigmatique Dr Legault. Ses yeux se sont allumés !

— Tu lui refileras bientôt le numéro du Dr Legault ?

— Oui, dit Rouaix, la visite filmée chez un médecin et l'achat illégal de médicament, d'un médicament dont vous pourrez faire le dosage, seront de bonnes preuves en cour.

— Parfait.

Comme son mari ne lui répondait pas, Nicole l'interrogea.

— Tu as de la difficulté à la croire coupable ?

— Non. Oui. C'est tellement sordide. J'étais ravi de jouer l'agent double, mais je me sens mal à l'aise depuis que j'ai rencontré Denise Poissant. J'aime mieux avoir affaire à des motards. C'est sale, c'est violent, c'est dur, mais…

— Les règles du jeu sont claires.

Il ne serait pas allé jusqu'à vanter la transparence des rapports entre la police et le milieu, qu'il s'agisse des motards ou de la mafia, mais il préférait nettement ceux-ci au lien qu'il entretenait avec Denise Poissant. Il avait fait un cauchemar où elle avait un corps d'araignée et s'avançait vers lui pour l'emprisonner d'un fil gluant. Elle s'apprêtait à découper Kevin et il ne pouvait rien faire pour l'empêcher parce qu'il était collé dans sa toile.

— Si moi je fais de pareils cauchemars, imagine ceux du petit ! Est-ce qu'il pourra se remettre d'avoir eu une telle mère ?

— J'ai lu le témoignage d'une femme qui est aujourd'hui sereine avec son mari et ses enfants après avoir suivi une longue thérapie. Sa mère l'avait pourtant martyrisée jusqu'à l'âge de neuf ans.

— Est-ce que c'est moi qui vieillis ou le monde est-il de plus en plus fou ?

— Tu n'es pas si vieux, mon chéri. Tu séduis de belles blondes…

— Je vais parler à Martin ce soir. Qu'il m'appelle dès qu'il rentrera à la maison. Quand il saura exactement ce que je fais ici, il comprendra que je ne m'amuse pas autant qu'il le croyait. C'est tout de même flatteur… moi, un grand séducteur !

Il souriait encore quand elle raccrocha. Il lui tardait d'être auprès de sa femme. Il achèterait des fleurs avant de rentrer chez lui. Des roses. Elle avait été tellement émerveillée par celles qui envahissaient les jardins du musée Rodin à Paris, qu'elle avait tenté d'en planter de semblables à Québec. Les rosiers ne s'étaient pas élancés aussi haut que ceux qu'elle avait vus là-bas, mais Nicole avait répété tout l'été que leur parfum embaumait le ciel. Il s'arrêterait rue Cartier, chez Fleurs d'Europe. Alain Gagnon y achetait les bouquets subtils qu'il offrait à Graham. On pouvait se fier au médecin légiste pour exiger de la qualité. Rien n'était jamais trop beau quand il s'agissait de Graham. Rouaix s'en réjouissait. Il aimait bien Gagnon, son professionnalisme, son intérêt pour le travail des enquêteurs. Il était rapide, efficace, précis. Et modeste. Rouaix appréciait par-dessus tout cette qualité. Gagnon ne donnait pas de leçons ; il partageait ses informations.

Graham avait de la chance. Enfin !

Chapitre 13

Le rideau avait bougé ; Denise était certaine que son nouveau voisin avait jeté un coup d'œil par la fenêtre. Il devait vérifier si la rue avait été dégagée après la bordée de neige. Il ne pouvait pas s'aventurer en béquilles sur des trottoirs encombrés. Et si elle allait frapper chez lui ? Lui offrir de faire ses courses ? Elle voulait en savoir plus sur le Dr Legault. Était-il vraiment différent des autres médecins ? André Royer avait vanté sa grande qualité d'écoute, sa disponibilité. Le cas de Kevin devrait l'intéresser.

Plus que vingt-cinq heures. Demain midi, Kevin serait de nouveau près d'elle. Elle était trop en colère contre les médecins pour prendre les comprimés qu'on lui avait donnés à l'hôpital. On lui avait vanté l'effet des calmants, mais elle s'était fiée à ses bons vieux somnifères. Elle avait vu le visage de Maxime avant de s'endormir. Maxime ! Elle n'aurait jamais dû le laisser s'approcher de Kevin, entrer dans leur chambre au CHUL, s'imposer. Le gamin n'avait pas pu s'empêcher de vouloir se faire remarquer en parlant de l'injection d'insuline à Nicole Rouaix. Et, bien sûr, celle-ci s'était empressée de tout rapporter au Dr Mathieu. Un hypocrite qui soutenait qu'il voulait les aider, Kevin et elle.

Ah oui ? Qu'il laisse son fils tranquille ! Qu'il l'autorise à revenir auprès d'elle ! Denise Poissant ramassa machinalement le chat que Graham avait offert à Kevin, le fixa quelques secondes, puis le frappa contre le mur avec rage. Elle s'arrêta pour reprendre son souffle, vit son reflet dans le miroir de la commode, replaça aussitôt ses cheveux, le col de son chemisier.

Elle sortit de la chambre sans claquer la porte malgré son envie. Elle savait se dominer. Elle ôta ses pantoufles et mit ses bottes, décrocha son manteau et son foulard, attrapa son sac à main et traversa chez son voisin. Elle frappa à deux reprises avant qu'André Royer vienne lui répondre. Il paraissait agréablement surpris de la voir sur son palier. Et s'il avait une idée derrière la tête ? C'était un homme, après tout. Il n'avait pas eu le moindre geste équivoque ni aucun regard déplacé, mais il était devenu familier très rapidement. Elle resterait sur ses gardes tout en étant assez chaleureuse pour qu'il ait envie de continuer à parler avec elle. Elle lui ferait comprendre, si cela s'avérait nécessaire, qu'elle venait de divorcer et n'avait aucune envie de se lier intimement à un homme.

— Entre donc… Excuse-moi, je vous ai tutoyée…

— Mais non, c'est bien. Ça va ?

— J'ai eu un peu de difficulté à dormir. Le lit est étroit avec ce plâtre. J'ai tellement hâte qu'on m'en débarrasse. J'ai toujours envie de me gratter.

Il émit un rire gêné ; ses propos n'avaient rien de très intéressant.

— Non, je sais ce que c'est, je me suis déjà cassé un bras. Je voulais t'offrir de faire tes courses, si tu as besoin de quelque chose…

— C'est vraiment gentil. Il me manque des œufs, du beurre. Et des oignons. Mais ce n'est pas urgent. Avec le froid, j'ai envie d'une bonne soupe gratinée. As-tu le temps de prendre un café ? Un bon espresso !

Elle accepta, s'avança dans la pièce qui lui parut encore plus petite qu'elle ne l'avait imaginé, mais bien rangée. L'arôme du café emplit le studio et son hôte lui désigna une chaise.

— Attends, je vais apporter les tasses.

Il la remercia en clopinant jusqu'à la table, lui offrit du lait et du sucre. Elle refusa, répétant qu'il y avait beaucoup de diabétiques dans sa famille.

— Kevin a sûrement des problèmes de ce type. J'aimerais bien avoir l'avis d'un nouveau médecin. Ton docteur Legault, peut-être ?

— Il est très occupé et…

Rouaix se racla la gorge, fixa un point imaginaire sur le plancher comme s'il était ennuyé. Il soupira et finit par dire à voix basse que le Dr Legault pratiquait dans un cabinet privé.

— Il ne s'affiche pas officiellement. Il est revenu au Québec depuis plusieurs mois, mais on conteste ses équivalences médicales. Je vais être franc avec toi : il a eu des ennuis avec la justice parce qu'il a fourni des médicaments à des mourants. Il pratique cependant dans un cabinet privé…

Rouaix hésita, puis se reprit :

— Clandestin serait le mot juste. C'est scandaleux. C'est le meilleur médecin que j'aie rencontré dans ma vie. Il nous fait participer au traitement au lieu de nous laisser le subir. Il discute longuement avec moi, chaque fois que je le vois. Et il comprend qu'on ait besoin de médicaments.

— Besoin ?

— J'ai eu des médecins qui me refusaient du Démerol après mon accident. Ils m'en avaient donné à l'hôpital. Tout à coup, c'est fini. Débrouille-toi, mon petit père ! Ils n'enduraient pas le martyre, eux ! C'est facile de prétendre qu'il y a un danger d'accoutumance à la drogue quand on va bien. Mais moi… Sans le Dr Legault, j'aurais dû supporter les pires douleurs.

Rouaix baissa la voix, admit qu'il s'interrogeait sur les fournisseurs du Dr Legault. Après un court silence, il ajouta qu'il s'en moquait.

— L'important, c'est qu'on puisse avoir accès aux médicaments qu'on désire, pas vrai ?

Denise Poissant buvait les paroles de Rouaix, rêvait déjà à des cocktails de pilules qu'elle pourrait concocter.

— Attention ! la prévint Rouaix, ce n'est pas un charlatan. Il est simplement en dehors du système.

— Il a bien raison.

Denise se lança dans une tirade sur les médecins.

— J'ai tout vu avec Kevin, conclut-elle. Le meilleur comme le pire.

— Comment va-t-il ?

— J'irai le chercher demain midi au CHUL. Il passe des tests… pour le diabète.

André Rouaix fit mine de croire à ces mensonges. Il raccompagnait Denise à la porte quand il se frappa le front.

— Suis-je distrait! J'allais oublier de te donner le numéro du Dr Legault. Tu peux l'appeler de ma part.

— Je vais l'appeler en rentrant des courses.

André Rouaix joignit aussitôt Graham; Denise devrait téléphoner au médecin dans l'heure qui suivait.

— Elle vient de partir à la pharmacie et à l'épicerie, mais elle reviendra rapidement pour appeler notre bon docteur Legault.

André Rouaix avait raison. Il vit Denise garer sa voiture seize minutes plus tard. Et Maud Graham l'appela peu après.

— Ça y est! Elle a pris rendez-vous. Le Dr Legault a bien joué le jeu. Il a fait semblant d'être méfiant, mais il a fini par accepter de la rencontrer demain à treize heures. Juste après qu'elle aura récupéré Kevin. On va installer une surveillance vidéo dans son cabinet.

— La journée va être longue... J'essaierais bien de retourner chez elle, mais je crains qu'elle me trouve trop collant. On ne sera pas plus avancés si elle pense que je la drague! Et je n'ai pas cent mille prétextes pour forcer sa porte.

— L'important, c'est que tu puisses vérifier les doses dès que Kevin sera rentré à la maison.

— Elle va me rapporter mes courses. Je vais continuer à gagner sa confiance.

Quand Denise Poissant lui tendit son sac d'épicerie, Rouaix s'efforça de la retenir.

— As-tu téléphoné au Dr Legault?

Elle hésita, puis accepta de s'asseoir tandis que Rouaix préparait deux cafés. Elle narra son entretien avec le médecin.

— Je parie qu'il t'a posé des tas de questions. Il est très consciencieux. Et très novateur. Pas comme ces ânes à l'hôpital qui ne nous croient pas quand on parle de notre propre maladie! On sait pourtant mieux que tout le monde ce qu'on ressent. Je déteste quand ils prennent un ton mielleux pour nous proposer leur aide... Une infirmière m'a même suggéré de voir un psychologue!

Comme si j'étais fou ! Je l'aurais battue ! Je sais mieux que personne ce qui est bon pour moi, mais elle refusait de me donner du Démerol. En quoi ça l'aurait dérangée ?

Denise Poissant abonda dans ce sens ; on mettait souvent en doute ses réflexions à propos de son fils alors qu'elle était sa mère.

— Je le reprends demain et ils ne nous reverront pas de sitôt ! déclara-t-elle. Le CHUL, c'est fini. J'irai ailleurs.

— Tu adopteras le Dr Legault, j'en suis certain.

Après son départ, André Rouaix téléphona à son épouse. Est-ce que leur fils était rentré ?

— Il est allé faire du ski et est resté au chalet de Jonathan. Je n'ai pas eu le cœur de le lui interdire. Et faire un peu de sport ne lui nuira pas. Mais il t'appellera dès son retour. As-tu ce qu'il faut pour le souper ?

— Je vais commander une pizza.

— Tu en profites pendant que je ne suis pas là ! le gronda gentiment Nicole.

— Et le petit Kevin ?

— Il était moins perturbé qu'on ne le redoutait, bien qu'il ne soit pas habitué à être séparé de sa mère. Le deuxième test de sang indique toujours un taux de sucre normal. Alors que le premier révélait des concentrations différentes. Maxime n'a pas rêvé l'injection. Denise a donné de l'insuline à Kevin.

— Il est en sécurité, ce soir…

— Oui, mais elle pourra recommencer ses folies demain. Ça me rend malade d'y penser.

— Tout sera terminé lundi. On l'aura piégée et on aura l'ordonnance du tribunal.

* * *

Maud Graham avait écouté le récit du retour de Denise Poissant au CHUL sans étonnement ; elle avait réclamé Kevin à midi pile. Pas une seconde de plus. Elle avait écouté poliment le Dr Mathieu lui parler de l'enfant. Mais Nicole, qui l'observait, avait eu l'impression que Denise Poissant portait un masque ; aucune émotion ne teintait son visage tandis que Pierre Mathieu s'adressait à elle.

— André vient de m'appeler. Elle est rentrée chez elle avec le petit, mais elle est repartie vingt minutes plus tard.

— Je sais. Elle est allée chez le Dr Legault. Espérons que tout se déroule comme prévu ! Dès que j'ai des nouvelles, je préviens Rouaix.

Deux heures plus tard, Graham faisait un rapport détaillé à son partenaire. Le Dr Legault avait écouté Denise réciter toutes les maladies de Kevin et les traitements qu'il avait subis au CHUL. Il les avait déclarés incomplets. Il avait proposé à Denise Poissant de tout recommencer à zéro et d'ajouter plusieurs tests. Quand elle avait parlé d'une appendicectomie, il avait prétendu qu'il craignait que ce soit malheureusement nécessaire. Il l'avait complimentée sur ses connaissances médicales, lui avait dit qu'elle aurait fait une fameuse assistante. Puis il l'avait interrogée sur elle, lui avait expliqué qu'une telle tension nerveuse pouvait épuiser n'importe qui. N'avait-elle pas parfois des sautes d'humeur, des tristesses inexplicables ?

— Je… Non…

Que lui voulait-il ?

L'homme l'avait sentie se refermer sur elle-même et avait fait marche arrière immédiatement.

— Pas de dépression, entendons-nous bien. Juste une baisse… moins de ressort. Je conseille le lithium dans ces cas-là.

— Du lithium ? On en donne aux maniacodépressifs !

Elle était prête à se lever et à partir. Le Dr Legault avait réussi à sourire.

— Décidément, vous connaissez tout en médecine ! Vous avez raison pour ce qui est du syndrome maniacodépressif, mais des doses infimes de lithium peuvent créer des effets similaires au Prozac. En moins de temps. Ça agit sur le système nerveux, ça apaise.

— Comme un décontractant ?

— Parfaitement ! C'est dommage qu'on ne puisse pas en prescrire aux enfants. J'ai eu une gamine, avant vous, qui ne se remet pas de la mort de son chat. C'est bête, mais je ne peux pas l'aider. Le lithium est trop dangereux pour elle. Il y a bien de la recherche à faire de ce côté-là... En attendant, je veux revoir Kevin dès lundi. À la première heure. Je vous remets deux doses de lithium, juste au cas où vous ressentiriez trop de lassitude. Vous êtes seule avec votre fils, ce n'est sûrement pas facile tous les jours.

— Pas facile ! dit Graham à Rouaix. Je te parie que Denise Poissant avait envie de chanter en sortant du cabinet.

— Je te raconterai. Je vais m'arranger pour avoir sa version de la consultation.

— Elle devrait arriver sous peu.

Rouaix vit bientôt Denise Poissant se garer, sortir un sac de sa voiture, soulever Kevin et entrer chez elle.

Rouaix saisit une bouteille de vin rangée sur le comptoir, la glissa dans un sac de plastique avant de s'habiller pour sortir. Il dirait à Denise qu'il tenait à la remercier pour les courses de la veille.

Il franchissait la porte de son immeuble quand Denise ressortit de chez elle. Elle venait vers lui, tenant une enveloppe à la main.

— Ce sont les comprimés dont je t'ai parlé, pour ton dos. Ça détend les muscles. J'ai failli oublier de te...

— Vraiment ? cria-t-on derrière elle. Tu oublierais mon père ?

Rouaix se demandait s'il rêvait : Martin avait surgi devant eux, l'air furieux.

— Qu'est-ce que tu fais ici ?

— C'est plutôt à moi de te poser la question !

— Denise, excuse-nous, commença Rouaix.

— Ah bon ! vociféra Martin. Elle s'appelle Denise, celle-là ?

— Je vais t'expliquer, Martin, dit Rouaix. Rentre avec moi.

Il posa la main sur l'épaule de son fils, mais celui-ci se dégagea d'un geste rageur et Rouaix perdit momentanément l'équilibre.

Denise Poissant, choquée par les propos de Martin, était décidée à balayer toute insinuation. Elle n'était pas la petite amie d'André Royer. Et ne le serait jamais.

— Martin, insistait Rouaix, viens boire un café. On va discuter tranquillement.

— C'est ton grand truc, hein, la communication ! On jase, on raconte n'importe quoi à sa femme, ce n'est pas grave, elle est idiote et gobera tout ce que son petit mari lui dira ! Tu n'as pas le droit de faire ça à ma mère !

— Je ne fais rien du…

— Je t'ai vu à l'hôpital avec la blonde et maintenant avec elle. Denise, c'est ça ? Il y en a combien qui te visitent dans ton petit nid ?

— Martin ! hurla Rouaix. Rentre avec moi. Tout de suite.

— Je ne suis pas un de tes hommes, rétorqua Martin. Je ne suis pas en état d'arrestation, tu ne peux pas me forcer à te parler ! T'es juste une maudite police ! Vas-tu sortir tes menottes ? C'est vrai que tu ne peux pas courir pour m'attraper !

— Martin…

Il lui tournait déjà le dos, s'enfuyait tandis que Denise Poissant dévisageait Rouaix.

— Denise, je…

Était-il vraiment policier ? Pourquoi lui avait-il menti ? Que lui voulait-il ?

— Denise, il faut que tu m'écoutes.

Elle hésitait, interdite.

— C'est vrai que je suis détective, avoua Rouaix. Je ne te l'ai pas dit parce que les gens détestent la police. Ils veulent qu'on s'occupe d'eux quand ça va mal, mais ils se méfient toujours de nous. J'aurais dû être honnête avec toi, je le sais. Je m'excuse. Je voulais juste qu'on devienne amis. Je me sens seul, je viens de divorcer.

— Ça, je le savais. Qu'est-ce que tu as raconté à ton fils à mon sujet ?

— Rien du tout. Il s'est fait un scénario tout seul. Tu verras, quand Kevin sera adolescent. Ils sont difficiles à supporter !

Rouaix grelotta, se frotta les bras, esquissa un sourire.

— Je vais rentrer, sinon je vais m'enrhumer. Il ne manquerait plus que ça. Je t'apportais une bouteille de vin pour te remercier de ta gentillesse. Écoute, je peux comprendre que tu doives digérer ce que tu viens d'apprendre, mais je t'en prie, ne me condamne pas. Pose-moi plutôt toutes les questions que tu veux.

Les flocons qui tombaient du ciel en tourbillonnant avaient un rythme beaucoup plus sage que les pensées qui s'entrechoquaient dans l'esprit de Denise Poissant. Son voisin lui avait menti, il était policier.

Un policier. Elle n'aimait pas les policiers. Pas du tout. Elle les avait bien manipulés quand Jessica était morte et André ne lui semblait pas trop inquiétant, mais elle devait approfondir quelques détails.

— J'ai besoin de réfléchir, murmura-t-elle.

— Attends !

Elle secoua la tête, mais finit par saisir la bouteille qu'il lui tendait.

Rouaix entra chez lui en frissonnant. Est-ce que Martin avait tout gâché ? Il téléphona à Maud Graham en enfilant une veste de laine.

— Je l'aurais étranglé quand je l'ai vu se planter entre Denise et moi ! C'était surréaliste !

— Et elle ?

— Je ne sais pas. J'ai admis que j'avais menti et je lui ai promis de répondre à ses questions. J'espère que j'aurai assez d'imagination. Ma position est très délicate.

— Heureusement qu'elle a déjà vu le Dr Legault.

— Tu es chanceuse qu'il ait accepté de nous aider.

— C'était mon médecin quand j'étais jeune. Il va prendre sa retraite dans deux mois. Il doit trouver excitant de participer à notre enquête.

— Il n'est pas à ma place, se lamenta Rouaix. On avait tout

prévu, sauf la crise de Martin. Je ne sais pas ce que je vais inventer pour satisfaire Denise Poissant…

— Tu me raconteras. Appelle-moi au poste. Maxime va jouer chez un de ses amis et je vais passer la soirée ici. J'ai des choses à vérifier dans le dossier Desrosiers.

— Des choses ?

— Ça pue… Je t'expliquerai quand on aura réglé le cas de Denise Poissant.

Rouaix téléphona ensuite à Nicole au CHUL.

— Martin mérite une fessée ! s'écria-t-elle. Il se conduit comme un gamin ! Si jamais votre opération échoue par sa faute…

— Il voulait te protéger, fit Rouaix, mais on atteint des sommets ridicules. Je pense que je pourrai rentrer demain. On aura une bonne explication !

— Demain ?

— Si tout va bien.

Il s'allongea sur le canapé et s'assoupit. La sonnerie de la porte le fit sursauter. Durant quelques secondes, il se demanda où il était ; il ne reconnaissait pas les murs sombres. Il se leva, attrapa ses béquilles en criant « j'arrive ».

Denise Poissant se tenait devant sa porte.

— J'ai finalement oublié de te donner les comprimés pour le dos.

— Entre.

— Je ne peux pas rester longtemps. Kevin va se réveiller.

— Il faut que je t'explique pourquoi je t'ai menti.

— Tu m'as déjà dit…

— Il y a une autre raison. Je surveille quelqu'un dans l'immeuble.

Denise écarquilla les yeux tandis que Rouaix inventait une histoire policière compliquée avant de lui faire promettre de garder le secret.

— Je suis une sorte d'agent double. Je ne devrais pas te faire confiance, mais… Tu vois, même mon fils n'était pas dans la confidence.

Denise écoutait les explications de son voisin sans être capable de deviner s'il disait la vérité ou non. Il avait l'air sincère, mais il lui avait menti une fois.

— Le gars blanchit de l'argent depuis trois mois. C'est grave. Il s'en met plein les poches. Nous, on gagne des salaires ridicules pour les risques qu'on prend. On se ramasse avec des blessures qui ne se guérissent pas, les patrons nous tombent dessus pour des niaiseries… Savais-tu qu'ils ont enquêté sur moi? Il paraît que j'avale trop de pilules! Comme s'il y avait un barème pour la douleur. J'ai le dos en compote parce que je suis tombé d'un escalier de secours en poursuivant quelqu'un! C'est la faute à qui?

Denise semblait intéressée par son histoire.

— C'est pour ça que je vois le Dr Legault, tu comprends? Il n'est pas dans le réseau habituel. Je me suis arrangé avec un avocat pour qu'il n'ait pas de problèmes… Qu'est-ce que je peux te dire de plus? Que j'ai hâte d'être à la retraite? Penses-tu que c'est plaisant de croupir dans un studio minable pour piéger quelqu'un? Et maintenant, c'est mon fils… Je vais te dire une chose, une chance que je prends du lithium, sinon je serais en pleine dépression.

— Tu prends du lithium?

— Et de la cortisone. Excuse-moi, je suis en train de me plaindre alors que ton bébé t'attend…

— Viens donc souper ce soir. On boira ta bouteille.

Elle détestait recevoir des inconnus à sa table, mais elle tenait à poursuivre cette conversation.

Elle se dirigeait vers la porte lorsqu'il l'arrêta d'une voix inquiète:

— Tu ne racontes rien de tout ce que je t'ai dit, hein? C'est sérieux!

André Rouaix espérait que son récit avait convaincu Denise Poissant. Il s'assit dans le seul fauteuil du studio avec un livre de mots croisés, mais il avait du mal à se concentrer.

Il rappela sa femme pour la tenir au courant des derniers développements; elle allait en aviser le Dr Mathieu et le Dr Du-

chesne. Ils devraient probablement examiner Kevin dès le lendemain. Mais cette fois-ci, ils sauraient ce qu'ils devaient chercher.

* * *

— Mon chili con carne était un peu trop épicé, s'excusa Denise.

André Rouaix protesta ; il appréciait la cuisine relevée. La
preuve, il avait repris du chili. C'était si gentil de l'avoir invité
à souper.

— Tu t'es rafraîchi la figure en allant aux toilettes, remarqua-
t-elle. Tu as eu chaud à cause des épices.

— C'est ce que j'aime, justement ! J'adore les plats mexi-
cains !

— Je te devais ça. J'ai trouvé le Dr Legault très sympathique.

— Qu'est-ce qu'il t'a conseillé ?

— Que Kevin subisse une série de tests. C'est ce que je répète aux médecins depuis des mois. Ils en ont fait quelques-
uns, mais il en manque une bonne partie d'après le Dr Legault.

— Il est très compétent, fit Rouaix.

Il commençait à se détendre ; Denise Poissant était très curieuse d'en apprendre plus sur le médecin. Les persécutions
que subissait le Dr Legault de la part de ses pairs la fascinaient.
Il pouvait ajouter bien des détails si ça plaisait tant à son hôtesse. La soirée se déroulait mieux qu'il ne l'avait imaginé.

Il ignorait que Denise Poissant avait ajouté de la drogue au dessert qu'elle lui offrirait à la fin du repas. Elle avait prévu de ren-
verser du vin sur lui comme s'il s'était enivré, de le ramener chez
lui et de fouiller son studio pour en savoir plus sur son compte.

Rouaix l'aida à installer Kevin dans sa chaise haute tout en
s'étonnant que l'enfant mange si tardivement.

— Il n'a rien voulu avaler tantôt, expliqua Denise Poissant.

Elle déposa un bol de soupe devant l'enfant, mais celui-ci le
renversa, éclaboussant Denise. Elle poussa un petit cri et s'excusa auprès de son invité.

217

— Je vais aller me changer, bredouilla Denise.

Elle s'éloigna vers sa chambre où elle ôta sa robe, revêtit un chandail. Elle crut entendre son invité se lever de table. Elle se rapprocha de la porte entrouverte pour observer Rouaix. Il avait sorti son téléphone cellulaire et parlait à mi-voix.

Pourquoi avait-il éprouvé ce besoin urgent de téléphoner dès qu'elle avait eu le dos tourné ? À qui voulait-il parler ?

Il la surveillait. Elle en était certaine.

Et le Dr Legault ? Était-il complice ?

Elle avait déjà donné une pilule de lithium à Kevin. Et si cette pilule était truquée ? Si elle répandait, comme certains produits, une couleur particulière, comme les gouttes qu'on utilise pour les examens de la cornée ? Si on faisait un examen sanguin à Kevin ? Elle avait envie de tuer Rouaix ! D'où venait-il ? À qui obéissait-il ? Elle s'efforça de respirer calmement ; son invité ne devait pas percevoir son trouble. Elle revint en souriant dans la salle à manger.

André Rouaix détailla la nouvelle tenue de son hôtesse ; elle avait simplement enfilé un chandail, passé la jupe qu'elle portait le matin. Il avait vu Nicole s'habiller des milliers de fois ; Denise Poissant avait pris beaucoup de temps pour se changer. Trop ? Se méfiait-elle de lui ?

— J'ai donné un biscuit soda à Kevin.

Elle hocha la tête et desservit son fils. André Rouaix la trahissait-il ou non ? Le plâtre de son voisin n'était tout de même pas une invention et il lui avait décrit avec tant de précision sa fracture et les fourmillements qu'il ressentait à l'intérieur du carcan. Et le Dr Legault avait répondu à toutes ses questions avec une compétence professionnelle évidente ; ce n'était pas un policier déguisé en médecin qui l'avait reçue. Elle avait utilisé trop de termes spécifiques pour qu'un simulateur puisse s'en tirer. Et les capsules de lithium étaient de vraies capsules ; elle en avait déjà vu.

Du lithium. Elle aimait la sonorité de ce mot, mystérieuse, savante, avec une consonance latine. Sérieuse. Lithium.

Avait-on piégé ou non le comprimé qu'elle avait donné à Kevin ?

Elle n'avait pas le choix. Elle droguerait son voisin.

Elle avait toujours suivi son instinct et, jusqu'à présent, il ne l'avait pas trompée. N'avait-elle pas toujours quitté au bon moment les hôpitaux où elle s'était présentée avec Kevin ? Elle reniflait la suspicion des infirmières aussi facilement qu'un effluve d'éther et elle savait fuir. Rouaix enquêtait peut-être sur du blanchiment d'argent, mais Denise avait repensé à tous les habitants de l'immeuble d'en face et n'en voyait aucun susceptible de remplir ce rôle de délinquant. Tant pis si elle se trompait.

Elle fit manger Kevin puis l'extirpa de sa chaise haute, l'installa devant la télé avec son lapin en peluche avant de proposer du dessert et un thé à son voisin.

— Thé de Russie fumé ou menthe poivrée ?

Il opta pour la menthe poivrée.

Elle déposa le gâteau roulé au chocolat devant son invité, coupa une large part pour André Rouaix qui protesta. Elle se servit cependant une petite portion afin qu'il ne se doute de rien, goûta son gâteau, décréta qu'elle n'aurait pas dû rajouter de cannelle.

— Ma voisine m'avait dit que ce serait meilleur.

André Rouaix la rassura, son gâteau était délicieux. Elle suggéra de boire le thé au salon. Elle transporta les tasses et la théière, puis poussa le pouf afin que son invité se laisse tomber aisément sur le canapé.

Elle discuta avec Rouaix en aiguillant la conversation sur les hôpitaux. Après qu'elle eut avoué son souhait d'être infirmière, Rouaix crut bon de surenchérir en prétendant qu'il aurait aimé être médecin. Elle put alors lui proposer de regarder une émission qu'elle avait enregistrée sur les transplantations cardiaques. Rouaix parut intéressé jusqu'à ce que sa vue se brouille. Il se frottait les yeux, les écarquillait. L'image se dédoublait à l'écran, un halo enveloppait la lampe halogène qui semblait vibrer. La pièce commençait à tanguer. Il tenta de se lever, comprenant qu'on l'avait drogué. Il empoigna ses béquilles, Denise en retint une, il se débattit.

— Arrête ! Lâche-moi, espèce de folle ! cria-t-il.

Sa voix était mal assurée, pâteuse, mais il se traînait vers la porte, l'atteignait, l'ouvrait.

Folle ? Il osait lui aussi mettre en doute sa santé mentale ? Comme cette infirmière au CHUL, comme un médecin à Lévis ? Pour qui se prenait-il ?

Denise souleva un cendrier en cristal et frappa Rouaix à la nuque. Il s'effondra dans une plainte, mais elle le retint, le ramena jusqu'au canapé.

À l'écran, on expliquait comment on prépare un patient à recevoir un nouveau cœur tandis que Denise tâtait le pouls de sa victime. Un peu faible. Mais il respirait assez régulièrement. Pour le moment. Il n'était pas question qu'il meure chez elle ! Elle allait le ramener chez lui tout de suite !

Elle alla chercher le fauteuil roulant qu'elle avait acheté chez Dufort et Lavigne, rue Rachel à Montréal, quand Bernard s'était brisé le genou durant un match. La boutique d'appareils médicaux l'avait enthousiasmée ; il y avait des ceintures herniaires, des béquilles de toutes sortes, des minerves, des attelles, des bandages sophistiqués, des stéthoscopes, des trousses. Le paradis ! Elle s'y serait attardée plus longtemps si Bernard ne l'avait pas attendue dans la voiture.

Elle approcha le fauteuil roulant du canapé. Elle agrippa Rouaix à bras-le-corps, le souleva et l'assit dans le fauteuil. Dans des moments pareils, elle se félicitait d'entretenir sa forme. La physiothérapie avait parfois du bon. Elle réussit à replier les jambes de Rouaix, mais elle dut les attacher ensemble pour qu'elles restent en place. Elle fit de même avec les bras, lui liant solidement les poignets. Elle jeta un plaid à carreaux bleus sur sa victime avant d'aller faire sa valise. Elle prit des vêtements confortables pour elle et Kevin, deux ou trois jouets, évalua le contenu de la pharmacie, décida de tout emporter. Elle vêtit Kevin de son habit de neige, lui mit ses bottes, sa tuque avant de se chausser elle-même et d'enfiler son manteau. Kevin hurlait, mais elle n'avait pas le temps de s'arrêter pour le calmer. Il fallait faire vite si Rouaix l'avait vraiment dénoncée en appelant au poste de police. Elle était maintenant persuadée que le Dr Legault lui servait d'appât ; il offrait des médicaments illégaux et ceux qui les acceptaient se faisaient piéger. C'était révoltant !

Denise Poissant fut surprise par la neige quand elle sortit pour faire chauffer la voiture ; les flocons, énormes, tombaient dru sur la ville et les voitures passaient lentement dans les rues déjà ensevelies. Elle leva la tête ; l'opalescence du ciel annonçait une tempête, comme le vent qui commençait à fouetter les congères et à décoiffer les conifères. Les lumières de Noël qu'un voisin avait disposées sur les branches de son érable vacillaient et la couronne de sa porte d'entrée semblait sur le point de s'envoler.

Denise s'avançait vers sa voiture quand des enfants déboulèrent avec des luges et entreprirent de glisser sur le banc de neige devant l'immeuble où habitait Rouaix. Une mère ouvrit la porte-fenêtre de son balcon, cria à son fils qu'il avait oublié ses gants, les lui lança et resta là à le regarder s'amuser avec ses amis. Son mari crut même bon de le rejoindre.

Qu'allait-elle faire de Rouaix ?

Le chalet. Elle le cacherait au chalet. Puis elle verrait...

Si jamais elle avait un pépin, s'il y avait un contrôle routier — mais pourquoi y en aurait-il ? Les fêtes étaient terminées et elle avait bu à peine un verre de vin —, elle raconterait que son « ami » avait eu un malaise et qu'elle l'emmenait à l'hôpital. Elle jetterait une couverture sur lui pour cacher ses liens.

Elle installa le siège de Kevin à l'avant de la voiture, dégagea le banc arrière et y poussa Rouaix. Son plâtre était diablement embarrassant et elle l'aurait volontiers scié si elle avait eu plus de temps. Quand elle réussit enfin à refermer la portière sur sa victime, elle était en nage ; souffrirait-elle d'un refroidissement ? Il y avait longtemps qu'elle n'avait pas eu une belle grippe. Elle plia le fauteuil roulant et le rangea dans le coffre arrière.

La circulation était lente mais fluide. Denise Poissant rejoignit le boulevard Talbot, distingua l'affiche pour le lac Clément, poursuivit sa route comme si elle se rendait jusqu'au lac Beauport. Elle s'arrêterait juste avant, emprunterait un chemin qui se perdait dans les bois où sa voiture serait à l'abri des regards. Cette neige était décidément bienvenue ; elle effacerait toute trace de son passage.

La luminosité laiteuse du ciel tirait sur le lac des draps immaculés, le bordait jusqu'aux sapins sous l'œil maternel de la lune, mais Denise Poissant avait peu de goût pour la nature. Elle avait toujours détesté accompagner son mari dans ce chalet perdu au fond de la forêt. Elle passait tout son temps à récurer l'endroit, car Bernard le partageait avec son frère et ses parents, qui n'avaient pas les mêmes notions d'hygiène qu'elle. Son attitude exaspérait Bernard qui prétendait qu'on venait dans un chalet pour se reposer et s'amuser. S'amuser ! Il n'y avait même pas l'électricité ; ni radio ni télévision. Et elle devait monter deux marches avec un homme inconscient et son plâtre. Elle aurait aimé laisser Rouaix dans la voiture, mais il aurait pu mourir d'hypothermie. Elle n'avait pas décidé si elle le tuerait ; elle l'avait emmené au chalet pour le neutraliser. Le temps de réfléchir à la situation. Chez elle, on aurait fini par le trouver.

Quelle était la peine qu'on encourait quand on assommait un officier de police ?

Quand on le kidnappait ?

Elle ferait peut-être mieux de le tuer. D'abandonner son corps dans la forêt. On ne le découvrirait pas avant le printemps. Et encore, si elle le cachait bien…

Après, elle rentrerait chez elle et attendrait la visite des détectives chargés de l'enquête sur la disparition de son voisin. Elle raconterait qu'il était bien venu chez elle, qu'ils avaient soupé ensemble et qu'il était reparti un peu, pas mal éméché. Elle écourterait l'interrogatoire en prenant Kevin contre elle et en expliquant qu'elle devait l'emmener à l'hôpital.

Ensuite, elle quitterait Québec pour Baie-Comeau.

Chapitre 14

Maud Graham avait téléphoné deux fois au studio de son partenaire sans obtenir de réponse. Elle hésitait à appeler chez lui de peur d'inquiéter inutilement Nicole. Rouaix devait être chez Denise Poissant. Il n'était que vingt-deux heures vingt. Tout de même, il s'était rendu chez sa voisine pour dix-huit heures trente. Elle était certaine qu'il n'avait pas changé ses plans, puisqu'il avait laissé un message pour elle au poste de police. Pourquoi ne l'avait-il pas appelée sur son téléphone cellulaire ? Parce qu'elle lui avait dit qu'elle resterait à son bureau pour la soirée ?

En fait, au moment où Rouaix avait voulu joindre Graham, Fecteau avait entraîné celle-ci dans son bureau pour obtenir des précisions sur l'affaire Desrosiers. Trottier avait répondu au téléphone, noté le message, l'avait déposé sur le bureau de Graham, l'avait interpellée alors qu'elle promettait à Fecteau des résultats dans les trois jours.

— Rouaix t'a appelée.

Trottier s'approchait du bureau de Graham, agitait la feuille où il avait écrit le message.

— Il a dit qu'il était dans la place et qu'il avait une preuve supplémentaire. Il m'a donné un chiffre : huit. Il avait l'air pressé. Qu'est-ce que ça signifie ?

— Rien.

Trottier s'impatienta, pria Graham de lui expliquer ce qu'elle mijotait sans lui.

— Je sais que tu racontes tout de l'enquête à Rouaix. C'est normal, c'est ton partenaire. Je fais pareil avec Jasmin. Mais je n'ai pas de petites combines avec lui dans ton dos.

— Je n'ai pas de combines, Trottier. C'est une autre histoire. Complètement différente. Je te raconterai tout après-demain.

— Pourquoi après-demain ? Pourquoi pas maintenant ?

Elle soupira sans répondre, sortit de la pièce pour aller chercher un café.

— Maudite tête de pioche ! maugréa Trottier.

— Je te l'avais dit, fit Moreau.

Berthier, qui s'était rapproché d'eux, put lire le message que Trottier venait de transmettre à Graham. De quelle preuve supplémentaire parlait-il ? Et que signifiait le chiffre huit ?

Maud Graham semblait contrariée que Trottier ait lu le message à haute voix, mais elle n'avait pas pris le papier, ne l'avait pas rangé dans ses dossiers. Elle était allée tranquillement chercher un café. Si elle avait craint une réaction de sa part, si elle le soupçonnait, elle aurait agi autrement. Non, peut-être pas. Si elle voulait qu'il ne se doute de rien.

Que savait-elle ?

Que tramait-elle avec Rouaix ?

Pourquoi avait-elle relu tous les dossiers où apparaissaient les noms de Marcotte et de Wilson ?

Elle revint avec son café, s'assit à son bureau et consulta son ordinateur. Que comptait-elle y trouver ? Elle était si concentrée. Elle travailla durant une heure sans lever la tête, puis s'arrêta pour téléphoner.

À qui ?

Elle raccrocha sans avoir dit plus d'une phrase.

Elle reprit la lecture d'un dossier, s'y plongea pendant une autre heure et téléphona de nouveau. Berthier crut deviner une certaine appréhension quand elle raccrocha ; elle n'avait pas joint son interlocuteur. Elle referma finalement ses dossiers, se massa le cou, s'étira et se leva. Elle s'attarda devant le bureau de Berthier tout en nettoyant ses lunettes.

— C'est idiot, à quoi ça sert ? Je vais devoir les essuyer quand j'aurai fait trois pas dehors, il neige tellement ! J'espère que Maxime n'est pas trempé jusqu'aux os. S'il tombe malade… Tu sais combien la grippe est mauvaise, tu y as goûté !

Berthier acquiesça ; Graham s'adressait à lui avec beaucoup de naturel. Était-il paranoïaque en s'imaginant qu'elle pouvait le soupçonner ?

Ils sortirent ensemble et déblayèrent leurs voitures. Berthier fit semblant d'avoir des problèmes pour démarrer et permit à Graham de prendre de l'avance avant de la suivre. La neige gênait la conduite, mais l'avantageait en réduisant la visibilité de Maud Graham. Elle se concentrerait sur la route sans penser à vérifier si on la suivait.

Elle s'arrêta deux rues plus loin, klaxonna et un enfant — ça devait être Maxime — sortit d'un immeuble, se dirigea vers sa voiture en courant, s'y engouffra. Elle redémarra et Berthier la suivit jusqu'à la rue Notre-Dame. Elle ralentit devant une maison aux volets verts, s'arrêta quelques mètres plus loin. L'enfant ouvrit la portière, alla vers la maison, s'approcha comme s'il cherchait à distinguer quelqu'un derrière les rideaux, puis revint vers la voiture en secouant la tête. Graham redémarra aussitôt, fit le tour du pâté de maisons et repassa devant la mystérieuse demeure avant de filer vers le boulevard l'Ormière. Elle tourna à gauche et s'arrêta devant le Mikes.

Ils prenaient le temps de grignoter un morceau ! Berthier avait mal à la tête ; il n'avait pas soupé et voilà qu'il se garait à proximité d'un restaurant sans pouvoir y entrer. Graham sortit au bout de dix minutes avec Maxime qui tenait précieusement un gros sac de papier. Elle lui ouvrit la portière droite de sa voiture, puis elle s'installa, revint sur l'Ormière et fila en ligne droite pour emprunter le boulevard Hamel. Elle rentrait chez elle.

Qu'était-elle allée vérifier rue Notre-Dame ?

Jacques Berthier fit demi-tour pour retourner dans cette rue. La neige tombait plus mollement et il parvint à destination après avoir croisé trois souffleuses. Il se rappela comme il était fasciné par ces monstres qui crachaient de la neige, quand il était petit. Il se remémora la voix de sa mère qui lui répétait à chaque tempête de ne pas s'approcher de la route pour éviter d'être happé par les ogres de métal.

Il aurait peut-être dû désobéir…

Il s'arrêta à quelques mètres de la demeure aux volets verts, prit un passe-partout dans la boîte à gants. Il frappa à la porte, sonna sans obtenir de réponse. Il força la serrure. Si un des voisins le remarquait et posait des questions, il montrerait son insigne et on le laisserait tranquille.

Il ouvrit lentement la porte. La maison était plongée dans une semi-obscurité. Seule la pièce du fond, la cuisine probablement, était éclairée. Il n'entendait aucun bruit. Il sursauta quand il mit le pied sur une trompette qui couina. En se penchant pour la ramasser, il distingua une peluche sur le canapé. Un enfant vivait donc dans cette maison ? Quel enfant ? Quel lien pouvait-il avoir avec Desrosiers, Marcotte ou Wilson ? Aucun d'eux n'avait habité à L'Ancienne-Lorette, il avait vérifié après y avoir suivi Graham la première fois. Il fit le tour des pièces, se décida à allumer dans une des chambres ; les tiroirs ouverts n'étaient pas refermés. Comme la porte de la garde-robe où pendaient des vêtements de femme. Qui était-ce ? Pourquoi avait-elle dû partir si vite ? Il revint vers la cuisine, ouvrit le réfrigérateur ; il était à moitié vide. Il y avait de la vaisselle sale dans l'évier. Qui était sorti si précipitamment ? Pourquoi ? Il retourna dans le salon, fouilla dans les tiroirs d'un secrétaire, trouva des factures diverses et des ordonnances au nom de Denise Poissant.

Denise Poissant ? Il n'avait jamais entendu ce nom. Était-ce la blonde de Desrosiers ? Qu'est-ce qui l'avait forcée à quitter son appartement ? Berthier continua à fouiller le tiroir, découvrit une enveloppe où étaient rangées des photos. Un chalet. Un lac. Une femme entre deux personnes âgées. Un berceau vide photographié sous tous les angles. La photo d'une route. D'un sentier. Une table, des chaises, l'intérieur d'un chalet. Berthier reprit l'image de la route, déglutit. Il reconnaissait l'endroit ; il passait devant ce chemin en allant chez le juge Plante. L'entrée d'un lac privé légèrement dissimulée. Est-ce que le juge avait des complices tout près de chez lui ? Si on revenait vers la rue des Corètes, on était à moins de dix minutes de la demeure du juge Plante. Il prit les factures de téléphone, les glissa dans son manteau avec les photos. Il allait étudier les relevés des numéros, les comparer à d'autres. Soudain, Berthier remarqua les traces qu'il avait laissées avec ses bottes. Il trouva un torchon et essuya l'eau dans toutes les pièces. En se redressant, il eut un léger étourdissement. Il était épuisé. Il hésita avant de retirer un sachet de coke de la poche intérieure de son blouson; une fois n'était pas coutume. Il avait besoin d'énergie pour poursuivre ses investigations. Ce n'était pas encore cette nuit qu'il dormirait paisiblement.

* * *

Maud Graham non plus.

Elle avait savouré les ailes de poulet piquantes avec Maxime, l'avait envoyé au lit et avait tenté de rappeler Rouaix qui ne répondait toujours pas. Quand elle s'était arrêtée rue Notre-Dame, elle avait été prise de court par la réaction de Maxime à qui elle avait dit qu'elle surveillait quelqu'un.

— Un criminel?

— Non, je veux juste savoir si cette femme est chez elle, mais on ne voit rien d'ici à cause de la neige.

Avant qu'elle ait eu le temps de réagir, Maxime était sorti de la voiture en courant vers la maison. Graham lui avait crié de revenir et l'avait réprimandé quand il s'était rassis.

— Je voulais t'aider, c'est tout. Je n'ai rien pu voir. Juste de la lumière au fond de la maison. Peut-être que le bandit est en train de manger?

Graham avait acquiescé distraitement et conclu que Rouaix était encore en train de discuter avec Denise Poissant dans la cuisine. Elle s'en était étonnée. Que pouvaient-ils donc se raconter? Est-ce que Rouaix réussissait à obtenir une confession de Denise? Alors que tous les médecins, toutes les infirmières avaient échoué? Elle avait toujours su qu'il savait mener un interrogatoire, mais là...

Elle se souvenait de la mise en garde de Pierre Mathieu : les femmes qui souffraient du syndrome de Münchhausen s'en prenaient parfois à elles-mêmes quand elles ne pouvaient plus nier les faits. Pouvaient-elles aussi s'attaquer, en dehors de leur enfant, à autrui ? Dans quelle mesure ?

Graham avait rappelé Rouaix jusqu'à minuit. Puis elle avait téléphoné à Grégoire ; il ne se couchait jamais avant trois ou quatre heures du matin.

Il la taquina :

— Tu sais quelle heure il est ? C'est mal élevé d'appeler chez le monde à…

— Peux-tu venir ici tout de suite ?

— Qu'est-ce qu'il y a ?

Il craignait que Maxime n'ait disparu de nouveau ou qu'Alain Gagnon ne se soit blessé, ou soit mort. Ou Léa.

— Il faut que j'aille voir Rouaix et que tu gardes Maxime. Je ne peux pas l'emmener chez Léa maintenant.

— Rouaix ?

— Il est sur l'affaire Poissant. On dirait que ça merde…

— T'as un mauvais *feeling* ?

— Oui.

Grégoire dut attendre un taxi pendant plus d'un quart d'heure et il rappela Graham afin qu'elle ne doute pas qu'il se présenterait chez elle. Au ton de sa voix, il comprit combien elle était déçue que ce ne soit pas Rouaix. Et angoissée.

— Maxime est couché et il dort, chuchota Graham en ouvrant la porte à Grégoire. Il reste des ailes de poulet. C'est surprenant. Je ne pensais pas qu'un enfant de onze ans et demi pouvait manger autant que ça. On en avait commandé pour une armée et… je te raconterai pour Rouaix. S'il appelle en mon absence, dis-lui que…

— T'es en saint-ciboire qu'il ne t'ait pas appelée ?

— C'est ça.

Elle remercia Grégoire, claqua la porte et balaya le pare-brise de sa voiture avec ses gants, qu'elle enfila ensuite sans sentir le froid. Elle pesta contre l'hiver et ses tempêtes qui forcent à adopter l'allure d'un escargot, mais elle ralentit pourtant quand elle atteignit la rue Notre-Dame. Il n'y avait plus de lumière chez Denise Poissant. Était-elle couchée ? Pas de lumière non plus chez Rouaix. Devait-elle frapper à sa porte ? Et s'il dormait ?

Elle entra dans l'immeuble et cogna trois coups à la porte du studio. Elle colla son oreille contre le bois où la peinture s'écaillait. Elle n'entendait rien. Elle frappa de nouveau. Puis décida de forcer la serrure. Elle entra, le cœur battant, en répétant le nom de Rouaix, même si elle savait qu'il n'y était pas. Un policier ne dort jamais que d'une oreille et Rouaix aurait réagi en entendant frapper. Elle chercha un interrupteur, fit de la lumière. Personne, évidemment.

Où était André Rouaix ?

Graham repartit après avoir fait le tour de la pièce sans rien remarquer d'anormal. Elle devait informer Nicole ou Martin.

Que leur dirait-elle si Rouaix n'était pas avec eux ? Qu'il s'était volatilisé ?

Elle réveilla Nicole qui garda le silence avant de répondre que son mari ne l'avait pas rejointe.

— Il n'est pas revenu au studio, finit par avouer Graham. Écoute, je traverse chez Denise Poissant. Il y est peut-être toujours… Je te rappelle après.

Nicole se reprenait, disait qu'André n'avait pu aller très loin avec sa jambe plâtrée.

— Je te rappelle, promis.

Graham s'appuya un instant contre le mur ; elle avait la gorge très sèche. Comment avait-elle pu terminer sa phrase ? Elle traversa la rue en courant, glissa, tomba, se releva et tenta de forcer la serrure pour entrer chez Denise, sans succès. Elle fit le tour de la maison, brisa le carreau de la porte arrière et pénétra enfin dans la cuisine. Elle cria « police », puis s'avança précautionneusement vers le salon. Elle ouvrit la porte de la chambre de Denise, vit les tiroirs et la garde-robe ouverts, devina le départ précipité. Graham se rendit dans le salon, redoutant d'y trouver Rouaix allongé, blessé ou mort, mais il n'y avait personne. Graham nota que le tapis de la porte d'entrée était mouillé. Est-ce que Denise venait de partir ? Elle avait dû faire plusieurs allers-retours pour transporter Kevin, une valise et des provisions. Et peut-être Rouaix ? Où était-il ?

Où était Denise Poissant ?

Maud Graham rappela Nicole avant de composer le numéro de la centrale du parc Victoria. Elle avait besoin d'aide pour retrouver son partenaire.

* * *

Papineau rejoignit Graham aussi vite qu'il le put.

— J'ai dérapé quelques fois, dit Jean Papineau. Qu'est-ce qui se passe ? Je n'ai pas tout compris. Juste que Rouaix a disparu.

Maud Graham exposa la situation sans cacher son inquiétude ; Denise Poissant était déséquilibrée.

Maud avait trouvé un gant qui appartenait à Rouaix dans le placard de l'entrée de Denise Poissant. Il devait être tombé du manteau de son partenaire quand ils étaient allés à sa voiture. Pourquoi Rouaix l'y avait-il suivie ? Pour aller où ? Avait-il été forcé d'obéir ? Le gant servait-il d'indice ?

— Ils sont partis vite.

En attendant du renfort, Graham avait noté tous les signes d'une fuite. Une femme aussi ordonnée que Denise n'aurait pas laissé de la vaisselle dans l'évier, des tasses sur le comptoir, et aurait sûrement rangé le gâteau dans le réfrigérateur. Elle aurait fermé les tiroirs dans sa chambre, ainsi que la porte de la garde-robe.

Et Kevin aurait eu le temps de ramasser son lapin en peluche.

Graham avait récupéré Rosie sur le canapé du salon, calée entre deux coussins. Elle avait flatté les oreilles usées en se demandant quand elle la remettrait à l'enfant. Est-ce que Denise perdrait complètement les pédales et ferait un vrai carnage ?

La culpabilité rongeait Graham ; elle avait sous-estimé Denise Poissant.

— Je fouille la chambre de la femme, dit Papineau.

Graham hocha la tête ; des détails avaient pu lui échapper. Elle désigna des paperasses qu'elle avait découvertes dans le secrétaire resté ouvert. Elle les avait déposées sur la table de la cuisine.

— Je vais éplucher ça. J'ai déjà tout regardé une fois, mais il me semble qu'il y a quelque chose de bizarre.

Papineau s'approcha de la table, jeta un coup d'œil rapide.

— Je n'ai jamais vu autant d'ordonnances de médicaments ! Pourquoi gardait-elle tout ça ? Elle est vraiment bizarre.

Maud Graham tria les ordonnances et tout document médical du reste des papiers. Elle était persuadée que le secrétaire où elle avait découvert les documents était habituellement parfaitement rangé ; Denise devait faire de petites piles bien séparées entre l'administration de la maison et le monde médical. Mais elle avait cherché une chose précise juste avant de partir et avait bouleversé l'ordre du tiroir.

— Je me demande ce qu'elle a emporté, dit Graham à Papineau qui avait fait le tour de la chambre de Kevin.

Elle avait fait une pile des bulletins de salaire, factures d'Hydro, d'une boutique de vêtements pour enfants, d'un menuisier, reçus d'épicerie, notes de la garderie où Kevin était allé quelques fois.

— Elle a dû farfouiller pour trouver ce qu'elle voulait…

— Ça ne colle pas. C'est une maniaque de l'ordre.

— Quelqu'un d'autre a fouillé alors…

Qui était venu chez Denise ? Quand ? En son absence ou à sa demande ? Serait-ce Rouaix ?

— Qui ? J'ai regardé tous les papiers sans rien trouver de personnel. À l'hôpital, tout le monde savait que Denise est très seule. Elle n'est jamais venue avec une amie… Elle a seulement parlé de son ex-mari. Et encore, c'était pour mentir. J'ai appelé chez moi et Grégoire va me rappeler pour me donner le numéro de Bernard Rivet à Montréal.

Maud Graham passait de nouveau en revue les papiers triés, les tendait à Jean Papineau pour qu'il les examine à son tour quand elle frémit :

— Pourquoi les factures de téléphone ont-elles disparu ?

— Parce qu'il y a un numéro qu'elle ne voulait pas qu'on trouve, avança Papineau. Le numéro de l'endroit où elle est allée avec Rouaix ?

— À moins que ce ne soit l'autre personne…

— On n'a pas de traces. L'individu qui est venu pour l'aider, s'il en est vraiment venu un, ou s'il est entré par effraction, a pris la peine d'essuyer ses traces ou d'ôter ses bottes pour se promener dans la maison. Est-ce qu'on pense à enlever ses claques quand on kidnappe un policier ?

— Oui, c'est trop étrange. D'un côté, il y a un désordre inhabituel et, de l'autre, on a pensé à nettoyer le plancher ou à éviter de le salir…

La sonnerie de son téléphone cellulaire l'interrompit ; Grégoire lui donna le numéro de Bernard Rivet.

— Est-ce que je peux t'aider encore, Biscuit ?

— Non, merci.

— Tu vas le trouver, Biscuit, tu trouves toujours. Je vais garder Maxime toute la fin de semaine si c'est nécessaire. De toute façon, ils annoncent moins trente pour cette nuit. J'irai pas me geler le cul pour rien. Bonne chance… Je te ferai un lunch quand tu reviendras.

Il raccrocha avant qu'elle puisse le remercier. Elle composa aussitôt le numéro de Bernard Rivet. Une voix ensommeillée répondit que Bernard était en mission à l'extérieur pour deux jours.

— Qui parle ?

Graham répéta son nom, son statut, expliqua l'urgence de la situation.

— On doit savoir où a pu aller Denise Poissant. Elle est en danger. Ainsi que Kevin.

— Mon Dieu !

La compagne de Bernard Rivet était tout à fait réveillée.

— Kevin? Bernard va devenir fou s'il lui arrive… Il a vu un nouvel avocat, juste avant de partir, pour qu'on puisse avoir le petit.

— Il faut que je lui parle, insista Graham, qu'il me dise où Denise a pu aller. J'ai songé au chalet. Savez-vous où il est situé?

— Pas loin du lac Beauport. Je n'y suis jamais allée, mais Bernard m'a tracé le chemin sur une carte de la région de Québec. Je vais la retrouver… Je vous donne ça tout de suite. J'essaierai de joindre Bernard ensuite.

Elle revint rapidement pour décrire l'itinéraire à la détective.

— Roulez lentement, l'entrée de la propriété est très discrète.

Maud Graham rangea son téléphone cellulaire dans son manteau.

— J'y vais, dit-elle à Papineau.

— On y va ensemble. Elle est dangereuse. Il faudra quelqu'un pour te couvrir si tu veux entrer chez elle. On ferait même mieux d'appeler…

— Non! S'il faut commencer à tout expliquer… Veux-tu conduire? C'est toujours Rouaix qui prend le volant.

Rouaix. Le reverrait-elle?

Les portières claquèrent dans la nuit. Graham attacha sa ceinture de sécurité; la conduite sportive de Papineau était célèbre. Elle téléphona à Nicole et n'essaya même pas de lui masquer la vérité; elle était la femme d'un policier. Nicole l'écouta attentivement et finit l'entretien sur une parole d'encouragement.

— André soutient toujours que tu es la meilleure. C'est l'occasion de le prouver. Moi, je vais essayer de calmer Martin. Il se sent tellement coupable!

Un sanglot réprimé modifia la voix de Nicole.

— Et moi aussi. Si je ne vous avais pas mêlés au cas de Denise Poissant…

— Arrête! Tout est de la faute de cette femme, pas de la tienne. Rouaix serait fâché que tu croies ça!

— J'attends de vos nouvelles, soupira Nicole. J'en veux des bonnes.

L'autoroute laurentienne n'avait jamais paru si longue à Maud Graham. La sirène et le gyrophare obligeaient les automobilistes à leur céder le passage, mais la neige se moquait bien de la loi. La chaussée était glissante et Papineau devait souvent ralentir. Il sacrait, les mains crispées sur le volant, tandis que Graham lui apportait de nouveaux détails sur Denise Poissant.

— Ça ne se peut pas, répétait Jean Papineau. Une mère qui veut que son enfant soit malade ! Ma femme panique quand la petite fait une indigestion.

Ils lurent enfin des panneaux indiquant la sortie pour Chicoutimi, pour le lac Delage, le lac Clément, le lac Beauport. Papineau coupa la sirène. Marjolaine avait bien dit que l'entrée du lac privé se trouverait sur leur droite.

Ils faillirent la rater, mais Graham s'écria qu'elle avait vu une pancarte. Ils firent marche arrière. Ils étaient bien arrivés.

— On descend ici, déclara-t-elle. Je vais voir si je reconnais la voiture de Denise Poissant.

Elle vit deux automobiles.

— Tu avais raison, Papineau, chuchota-t-elle. Il y a quelqu'un avec elle.

Ils s'approchèrent lentement, guettant le moindre mouvement aux abords du chalet tout en s'efforçant de marcher dans les pistes molles creusées par le passage des deux véhicules. Une lueur dorée indiquait que le chalet était éclairé par des lampes à huile.

Le fracas d'une branche qui se brise fit sursauter Graham et Papineau qui s'immobilisèrent, soufflèrent doucement, recommencèrent à avancer. Le vent du nord leur brûlait le visage, mais ils ne sentaient rien ; ils ne pensaient qu'à avoir les bons réflexes pour protéger Rouaix et Kevin. Graham se demanda durant une fraction de seconde si la peau de sa main resterait collée sur le métal de son arme. Ils firent le tour du chalet, aperçurent un homme de dos qui menaçait Denise Poissant d'une arme. Rouaix n'était pas visible.

— Qu'est-ce que ça signifie?

— On y va, fit Graham. Couvre-moi.

Elle gravit les marches, mit sa main gauche sur la poignée de la porte, la fit tourner et donna un coup de pied en hurlant: «Police!» L'homme qui menaçait Denise Poissant se retourna et Graham lut une consternation absolue sur son visage.

— Berthier?

Le déclic de son arme fit réagir Papineau qui se jeta sur sa collègue, la protégeant du tir de Berthier, recevant une balle dans le dos. Alors que Papineau roulait sur lui-même, Graham vit Denise Poissant sauter sur Berthier. La détonation résonna dans le chalet. Denise tressaillit de tous ses membres et s'écroula. Au même moment, Graham aperçut Rouaix. Allongé dans un coin de la pièce, bâillonné, attaché, les yeux fous de terreur. Elle leva la main, visa Berthier, l'atteignit à l'épaule. Il hurla avant de s'enfuir par la porte arrière. Graham se rua vers Rouaix à qui elle arracha le bâillon, tira son laguiole de sa poche pour trancher ses liens.

— Tu es venue, parvint-il à articuler. Va voir Papineau.

Celui-ci grimaçait de douleur; il rassura néanmoins Graham.

— La balle m'a traversé juste la chair sur le côté. Ça pince en sacrement, mais ce n'est pas grave. Cours après Berthier!

Graham appela une ambulance tout en s'approchant de Denise Poissant qui restait immobile, face contre sol. Quand Graham la déplaça, elle vit sans frémir un flot de sang jaillir de sa bouche. Bernard Rivet aurait pour toujours la garde de Kevin. Elle entendit des pleurs.

— Kevin, appela Graham à haute voix.

— Dans la petite chambre, murmura Rouaix. Il est très agité. Elle doit lui avoir donné le lithium. Cours après Berthier. Il est devenu fou!

Berthier était déjà au volant de sa voiture et démarrait en hurlant. Le moindre mouvement déclenchait une explosion de douleur dans son épaule, qui irradiait dans tout son corps. Dans le rétroviseur, il vit Graham sortir du chalet, lever un bras. Une balle fracassa la lunette arrière de sa voiture, mais il réussit à maîtriser son véhicule. Il faillit emboutir la voiture de Graham, franchit les limites de la propriété privée et rejoignit la route qui menait chez le juge.

Maud Graham était à bout de souffle quand elle s'engouffra dans sa voiture. Il fallait qu'elle arrête Berthier. Qu'est-ce qui l'avait rendu fou? Pourquoi était-il allé au chalet? Ses intuitions étaient justes, mais incomplètes. Comment établir un lien entre Berthier, l'affaire Desrosiers et Denise Poissant? Elle zappait d'un cauchemar à un autre alors que tout se confondait…

Elle fonça droit devant elle, bénissant la tempête. Il n'y avait aucune voiture sur cette section de la route et elle repéra celle de Berthier qui s'éloignait en direction du lac Beauport. Elle accéléra. Son automobile zigzagua dangereusement et elle dut ralentir. Elle sentit une vague de chaleur l'envahir puis refluer, la laissant toute tremblante. Elle se secoua; elle ne devait pas perdre Berthier de vue. Il se dirigeait vers Tewkesbury.

Il s'arrêta enfin au pied d'une entrée qui montait sur plusieurs mètres. Une maison cossue, tout droit sortie du roc, s'élevait avec une certaine ostentation pour contempler la ville, au loin, et ses chaumières de carte postale. Graham reconnut la demeure du juge Plante. Elle avait vu des photos dans le dossier de Jasmin.

Berthier et Plante? Complices?

Elle vit Berthier sortir de sa voiture, chanceler, s'appuyer contre la portière avant de se diriger vers la porte principale. Des lumières s'allumèrent devant la maison. Maud bondissait hors de sa voiture lorsqu'elle perçut des jappements. Elle cria à Berthier de s'arrêter, mais il n'entendait plus rien. Dès que la grande porte en chêne massif s'entrouvrit, il tira.

La déflagration résonna dans l'air pur jusqu'à ce que son écho soit enterré par une seconde explosion.

— Oh non… murmura Maud Graham. Non.

Elle devinait qu'elle trouverait deux corps quand elle se glisserait derrière les murs de cette somptueuse demeure. Elle savait qu'elle découvrirait ensuite les preuves d'une complicité entre Plante et Berthier, et que Jasmin avait eu raison de douter de l'innocence du juge.

Elle avança très lentement dans le vent, anéantie par sa découverte. Berthier… Berthier qu'elle connaissait depuis des années, Berthier qui s'interposait au moment opportun entre elle et Moreau, Berthier et ses rêves de grand large. Il était parti très loin, emporté par une lame de mensonges.

Une jeune femme hurlait près des victimes quand Maud Graham poussa la porte de chêne, et la détective dut la gifler pour qu'elle se taise. Elle l'entraîna dans une autre pièce et la força à s'asseoir.

Graham demeura un instant immobile dans le salon, refusant de regarder ce qui restait de Berthier après qu'il eut avalé le canon de son revolver, refusant de voir la poitrine déchiquetée du juge Plante. Elle repéra une bouteille de vodka dans l'armoire vitrée du salon, l'ouvrit et but au goulot.

Plus personne ne menacerait Bruno Desrosiers. Maxime était maintenant en sécurité. Comme Kevin, il pourrait retourner auprès de son père. Mais pas tout de suite… Elle aurait besoin plus que jamais de sa vitalité en rentrant chez elle à la fin de la nuit. Elle espérait secrètement que Maxime accepte de continuer à la voir, même après avoir retrouvé Bruno, qu'il accepte de venir souvent dormir dans la chambre qu'elle avait préparée pour lui. Avec Léo. Elle pourrait le garder quand son père serait en tournée, ou sur un chantier, non ? Était-ce trop demander ?

Elle composa le numéro de Nicole Rouaix en fixant sans les voir les flammes qui s'élevaient dans la cheminée, léchant de grosses bûches qui crépitaient joyeusement.

— J'ai de bonnes nouvelles, fit doucement Maud Graham. À propos d'André.

Parus à la courte échelle :

Valérie Banville
Canons

Patrick Bouvier
Des nouvelles de la ville

Chrystine Brouillet
Le Collectionneur
C'est pour mieux t'aimer, mon enfant
Les fiancées de l'enfer
Soins intensifs
Indésirables
Sans pardon

Marie-Danielle Croteau
Le grand détour

Hélène Desjardins
Suspects
Le dernier roman

Sylvie Desrosiers
Voyage à Lointainville
Retour à Lointainville

Annie Dufour
Les enfants de Doodletown

Andrée Laberge
Les oiseaux de verre
L'aguayo

Anne Legault
Détail de la mort

Jean Lemieux
La lune rouge
La marche du Fou
On finit toujours par payer

Nathalie Loignon
La corde à danser

André Marois
Accidents de parcours
Les effets sont secondaires

Judith Messier
Dernier souffle à Boston

Sylvain Meunier
Lovelie D'Haïti
Le temps des déchirures
La saison des trahisons

André Noël
Le seigneur des rutabagas

Stanley Péan
Zombi Blues
Le tumulte de mon sang

Maryse Pelletier
L'odeur des pivoines
La duchesse des Bois-Francs

Raymond Plante
Projections privées
Le nomade
Novembre, la nuit
Baisers voyous
Les veilleuses

Jacques Savoie
Le cirque bleu
Les ruelles de Caresso
Un train de glace

Alain Ulysse Tremblay
Ma paye contre une meilleure idée que la mienne
La langue de Stanley dans le vinaigre

Récits:

Sylvie Desrosiers
Le jeu de l'oie. Petite histoire vraie d'un cancer

Guide pratique:

Yves Bernard et Nathalie Fredette
Guide des musiques du monde. Une sélection de 100 CD

Format de poche:

Chrystine Brouillet
Le Collectionneur
C'est pour mieux t'aimer, mon enfant
Les fiancées de l'enfer
Soins intensifs